浦睿文化　出品

黄 小 厨 的 春 夏 秋 冬

黄 磊 —— 著

CS 湖南文艺出版社
HUNAN LITERATURE AND ART PUBLISHING HOUSE

※

一食一味，一餐一情，

在饮食中，感知季节的变化，

记录生活里的微小惊喜与感动。

—— 黄磊

春

S P R I N G

夏

SUMMER

秋 A·U·T·U·M·N

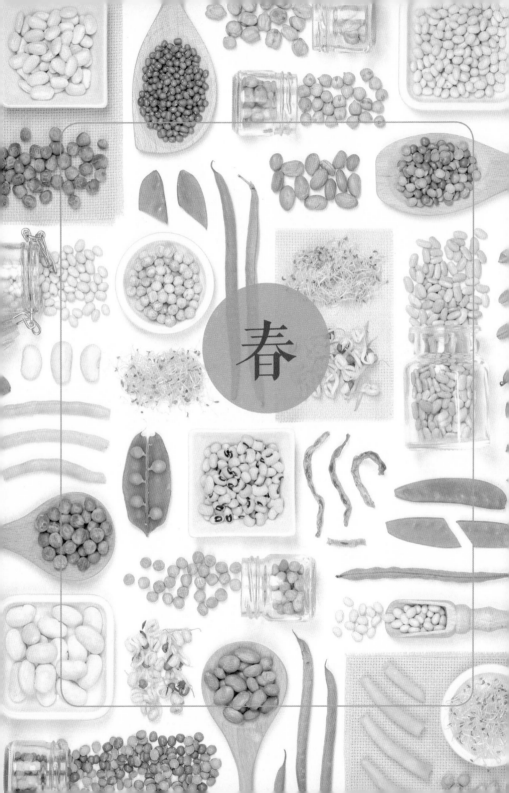

春

◎ 盆菜

◎ 重庆辣子鸡

◎ 五仁元宵

◎ 玫瑰烤酥胸

◎ 水煮牛肉

◎ 川贝雪梨炖雪蛤

◎ 香椿鱼儿

◎ 油爆小河虾

除夕 ·

慢下来，感受温暖

盆菜

过年是一年当中最大的事情。我们小时候有个顺口溜："小孩小孩你别馋，过了腊八就是年，腊八粥你喝几天，哩哩啦啦二十三，二十三糖瓜粘，二十四扫房日，二十五做豆腐，二十六烧年肉，二十七杀年鸡，二十八贴花花，二十九去打酒，三十儿晚上熬一宿！"

三十儿晚上熬一宿都干吗呢？一是守岁，另外就是看春晚。春晚之所以那么重要，我觉得是因为它给了一家人围在一起静静相处的时间。过年是一个非常私人、属于每个家庭、唤醒每个人童年记忆的温暖的节日。在这样的节日里，和家人一起吃年夜饭、一起看春晚，成了不善于表达感情的中国人传达爱意的方式。一顿年夜饭是对一个家庭辛劳一年最好的慰藉。

中国每个地方都有自己独特的年夜饭，比如在北京吃烤鸭、豆儿酱、四喜丸子；在东北吃杀猪菜、酸菜汆白肉、小鸡炖蘑菇；在山东吃油焖大虾、红烧鲤鱼、肉皮冻；在四川吃腊肉、腊肠、炸酥肉、红烧猪尾；在陕西吃四大碗：丸子、烧肉、酥鸡、酥排骨；在山西吃过油肉、栲栳栳、油糕；在湖南吃一碗香、腊味合蒸；湖北人吃的是"三全三糕三丸"，"三全"指全鸡、全鸭、全鱼，"三糕"指鱼糕、肉糕、羊糕，"三丸"指鱼丸、肉丸、藕丸；在河南吃酥肉扣碗、大馍、猪头冷肉；在江西吃八宝饭、黄元米粿、江西米粉；上海人吃蛋饺、本帮熏鱼、红烧肉；安徽人吃圆子、咸味拼盘、鸡爪豆；广东人吃盆菜、发菜、煎堆。

在吃的问题上，我向来事必躬亲，尤其是年夜饭这样家人团聚的重要场合，从采购到掌勺，丝毫马虎不得。小时候，过年前那几天父母忙活年夜饭，大年二十八、二十九都是胡乱吃饭，通常就是一碗面。现在我成为了准备年夜饭的爸爸，也是匆匆忙忙地做上一碗葱油面给孩子们，然后开始忙碌地准备年夜饭。

　　我人生中的四十多年，所有的大年三十都没有离开过父母。至少除夕夜的时候一定会在家里，而且一定会跟我的父母在一起。这个时候，不仅是我，而且所有忙碌的人都会慢下来。我想，人只有慢下来才能细细体会得到亲情与爱情。

　　记忆里有一次很冷清的年夜饭，让我至今难忘。那是1997年，我还没结婚，未婚妻孙莉的父母还没有搬到北京来。一到春节，她会回到大连老家跟她的父母一起过年，我则留在北京。那一年，我姐姐已经结婚了，要陪着她老公去她婆家过年。所以，那一年大年三十是我跟我的父母三个人过的，家里很冷清。

　　那一顿年夜饭，给我印象最深的是父亲做了一锅火锅。在热腾腾的铜锅里，有母亲包的蛋饺、父亲做的肉丸，有发的海参、木耳、香菇，有调的鸡汤，有发的牛筋、鱼肚，有炸的肉皮，还有虾、鲍鱼、干贝、冬笋……很丰盛的一锅，像广东人过年时吃的盆菜。这个火锅没什么地方特色，就是自己做的，类似全家福。在大年夜，我们三个人吃着火锅，那场景令我至今难忘。

　　自那之后，在除夕的厨房里，我就常常会制作这道令我记忆深刻的广东年菜——盆菜。

{盆菜}

※ 食材 & 作料

蛋饺、鸡汤、鲍鱼、海参、花菇、干贝、
白萝卜、娃娃菜、海虾、腐竹、西蓝花、
葱、盐、酱油、蚝油

※ 步骤

 1　将西蓝花和海虾先用水焯。

 2　热锅凉油，加入一些葱段，再放入海参，加入酱油、蚝油，放一点炖好的鸡汤。

3
—

白萝卜去皮切滚刀块，和娃娃菜叶铺在砂锅底部，将准备好的海虾、腐竹、西蓝花、鲍鱼、花菇、干贝、蛋饺和烧好的海参依次摆入。将炖好的鸡汤浇入摆好菜的砂锅中，煮沸即可，放一点盐。

成品

正月里，最隆重、最大型、参与人数最多的活动非庙会莫属了。在以前，庙会的地位等同于现在欧洲的圣诞花车巡游，是中国人自己的集娱乐、购物、餐饮、祭祀等多功能于一体的大型嘉年华。

我小时候过年最期待的两件事，一是收红包，另外就是逛庙会了。庙会就像是王母娘娘的蟠桃盛会，云集了全国各地各路神仙：有表演胸口碎大石的、耍大刀的、说相声的、扭秧歌的、踩高跷的、顶幡的、演木偶戏的、抖空竹的、吹糖人的、画糖人的、捏面人的。我最喜欢的游戏，当属套圈。一块钱买五个圈，拿竹子编的那种小圈，套两三米外的玩具，套中的就能拿走。从小我就手上活儿好，每次庙会都能满载而归！

庙会上还有一种东西时刻吸引着我，那就是庙会小吃。炸灌肠、羊肉串、臭豆腐、茶汤、油茶、冰糖葫芦、炸春卷、扒糕、凉粉、豌豆黄、驴打滚，当然还有驰名中外的豆汁儿！

庙会开启了一年中的第一个集会，但正月里小的聚会随时都在进行，聚会的对象也各不相同：有跟自己爹妈岳父岳母聚的，有跟同学朋友闺密发小聚的，还有跟同事邻居相亲对象聚的。同学聚会，一般是这个节奏：每聚必喝，每喝必多，每多必哭，哭完再喝。在浓烈的喝酒伤胃、不喝伤心的氛围下，一个个跟失散多年的亲兄弟一样，吹着牛，回忆着当初的"如果，如果"。另一种是和三姑六婆的聚会，她们虽然长相不同、年龄不同、穿着打扮不同，却都带着关切的语气和一颗八卦的心，在你毫不设防的时候向你发问。只有你答不出的，没有她们问不到的。左一句，右一句，全然不见餐桌上的各种美食，仿佛要把憋了一年的话全说给你听。还有一种聚会叫回娘家，女婿陪着媳妇拜见老丈人、丈母娘。不敢自夸，我演过的女婿比大家错过的老丈人都多，拜见岳父岳母一定要带礼物，能带多少带多少，最好多到二老一起伸手才能接过去，让两人感觉到满满的热情扑面而来。

我可以有一千种态度去对待一千种聚会，但这并不代表我这个人不真实，相反我觉得自己活得很真实。我清楚地知道我在这个聚会里对于其他人的意义是什么，我会让所有人都很舒服。一千种态度的背后其实只有一颗真诚的心。

凡是聚会，两样东西是绝对的主角，那就是美酒和美食。想要让三姑六婆停下唠叨，想让丈母娘满心欢喜，想让同学们少说多喝，你就用美酒把他们灌醉，或者就来一道美食让他们无暇说话。在中国，凡是要招待贵客，有一种食材必定会出现在饭桌上，那就是鸡！以前只有贵客登门才会杀鸡招待，所以有了"无鸡不成宴"的说法。渐渐地，鸡在宴请菜谱上占据了重要地位。以鸡作为食材的名菜也有不少，像口水鸡、东安子鸡、荷叶鸡、德州扒鸡、新疆大盘鸡、文昌鸡、白斩鸡，等等。所以谈及聚会，必须来一道大菜，做鸡是没跑了——新春的聚会总是非常热闹的，那就再给这个氛围添一把火，做一道重庆辣子鸡，在味觉中感受热火朝天。

{ 重庆辣子鸡 }

※ 食材＆作料

鸡翅、干辣椒、干花椒、胡椒粉、生抽、
盐、糖、料酒、姜、蒜、白芝麻、豆豉

※ 步骤

1

鸡翅剁成小块。

2

调入姜末、盐、
糖、料酒、胡椒
粉、生抽，腌至
入味。

3
—

将剁好的鸡块放入锅中炸至表面焦脆，捞出沥干油分。

4
—

锅中留底油烧热，爆香姜末、蒜末，放入豆豉、干辣椒段和干花椒，随后放入炸好的鸡块翻炒，加入调味料。

5
—

出锅摆盘，撒上白芝麻。

成品

元宵节 ·

春节后的浪子回头日

五仁元宵

　　每逢佳节胖三斤，三斤之后又三斤，一个春节过去，我好像收获了一个两倍的自己。每次出门前的穿衣都变成了一场硬仗，特别是坐下来的时候，身上的每一块肉都想要获得更大的空间和自由。春节假期虽然结束了，但人们的生物钟还停留在假期的频率上，越到晚上越兴奋，不到半夜睡不着，早上上班定了满屏的闹钟依然起不来。明明生活在东八区的北京，身体却仿佛活跃在巴黎的时区里。

　　元宵节是春节期间最后一个节日了，择日

不如撞日，咱们把"浪子回头"的时间就定在元宵节，吃一碗热腾腾的元宵，进行春节的最后一轮假日狂欢，之后就可以整理心情，好好开始新一年的工作了。

元宵节，也叫灯节。按照汉族的传统习俗，在这一天的夜晚，一家人要一起赏圆月、猜灯谜、放烟火、吃元宵。记得我们小时候，每次一到元宵节就非常热闹，同一个单位院子里的人很早就开始排演节目，扭秧歌的、舞龙的、舞狮的、脸上涂上两大坨大红胭脂踩高跷的，还有在灯会里猜灯谜的。我喜欢去猜那些有逻辑性的趣味谜题。

正月十五也是很多家庭去寺庙敬香为家人祈福的日子，祈求新的一年家人身体健康，子女早日成家。此外，元宵节也可以说是中国情人节的"真身"。在传统的封建社会中，未出阁的姑娘在那个时代里是不允许独自出外的，只有过节时才可以结伴出来游玩。而元宵灯会就相当于古代重要的相亲场合，给少女们创造了一个偷偷溜出门见情郎的极好机会。就像《大明宫词》里周迅饰演的太平公主，在元宵灯会上遇到了令她魂牵梦萦的男神薛绍。单身男女们在良辰美景之下，一切不可描述的都顺理成章了。

元宵节的传统习俗中最重要的就是吃元宵了。元宵也叫"汤圆"，与"团圆"发音相近，表示家庭美满团圆之意。汤圆和元宵有什么区别呢？严格来说，它们是在做法和口感上都不同的食品。简而言之，元宵在北方，是滚出来的；汤圆在南方，是包出来的。

我父母都是南方人，我小时候会和他们一起包汤圆。那时候还有一种很特别的肉汤圆，我很喜欢吃。其实它就是个肉丸，把纯肉馅包在糯米团儿里煮熟，对我非常有吸引力。元宵里我最喜欢的馅料，不用想，还是黑芝麻馅的，一咬开，里面包裹着一团油油的馅料 —— 黑芝麻、花生、什锦。

煮元宵也有技巧。首先锅内水开后，放入元宵，再用勺背轻轻推开，让元宵旋转几下，这样就不会粘锅底了。元宵入锅煮至浮起后，要迅速改用文火，否则会受热不均匀，外熟内硬不好吃。元宵入锅后，水每开一次应加入适量的冷水，使之保持似滚非滚的状态。开两三次后，再煮一会儿，即可捞出食用。这样煮出的元宵质软不硬，香甜可口。

元宵也有百变身份，比如说麻薯就是干吃元宵；把元宵煮熟了下锅油炸，就变成了炸元宵；调好红糖汁，盛上熟元宵，瞬间又变身为糖糍粑粑；而把糖糍粑粑收汁拔丝，元宵又变身为拔丝元宵；放上醪糟，又能变身酸甜可口的醪糟元宵……元宵可以满足你所有的想象和需求。

吃甜口的元宵，预示着新的一年所有的事都能甜甜蜜蜜。

{ 五仁元宵 }

花生仁、瓜子仁、白芝麻、核桃仁、榛
子仁、糖、猪油、糯米粉

1 —— 将花生仁、瓜子仁、白芝麻、核桃仁和榛子仁放入炒锅中，用小火烘焙出香味。

2 —— 将烘焙好的五仁放入搅拌机中搅打成粗碎，随后混入糖和猪油，装入容器中再放入冰箱，冷冻成固体。

3
—

取出冻好的馅料切成小块。

4
—

将馅料浸凉开水后再放入盛满糯米粉的笸箩里摇晃，使馅料沾粉直至成形后再蘸水，滚粉，重复四五次即可。

5
—

水开了下锅煮，加少量冷水数次，到元宵漂起来就可盛出。

成品

在情人节这样天然具有"浪漫气氛"的节日里，人们会比平时更向往爱情。满街的鲜花，满街的情侣，正是这种浪漫的气氛，让人们更强烈地感受到爱的存在，让表白的人也更容易打动对方。所以我始终觉得，如果学会在日常生活当中制造这种"浪漫气氛"，每天都可以是情人节。

其实制造浪漫最简单的方法，就是带她去一些得天独厚的具有浪漫气氛的地方。比如去海边散步，看着傍晚的夕阳，温柔的海风吹过来的一瞬间，你牵起她的手，你们两个人的心都开始荡漾了。

　　还有一种方法，就是带她去做一些疯狂的事情，带她去坐过山车，去蹦极，去爬山，去探险，做很多她之前没做过的事情，去很多她之前没有去过的地方。你们的故事就在这一次又一次的美好回忆当中变得深刻，变得难忘。爱情也会在心灵的碰撞和摩擦当中慢慢成长。

　　浪漫，不仅是在情人节时收到令人尖叫的花束，也不是在每一个纪念日里翻云覆雨一番。我所向往的浪漫，是要偷取每一个能够相聚的片刻，感性地分享，性感地共处。其实，浪漫的营造并非一定要大费周章才能完成，不妨试着就只是一双紧握的手、一本两人共享的漫画书、一段有轻音乐陪伴的减压按摩、一餐两人分享的美食，你会发现，原来长久地爱一个人，可以如此简单。

　　我跟我爱人在一起 20 年了，我们依然很相爱，其中一个很重要的原因是我们会把原本平淡的生活变得有趣，变得浪漫和有情调。我记得有一年情人节，别人买玫瑰花，我买玫瑰花瓣，花店老板把掉落的玫瑰花瓣帮我收拾起来很便宜地卖给了我，我回家做了一桌菜，撒了一桌玫瑰花瓣，当时的气氛浪漫极了。虽然结婚那么多年了，但是每当生活中充满浪漫气息的时候，我们仍然能够重拾刚刚恋爱时的那份感觉。

古往今来，男人追求女人的方法一直都是热门话题，后人也都纷纷深入研究恋爱心理学，甚至编纂成书，供宅男们学习，其套路数不胜数。但女人追男人的套路可真没太多人研究，可能因为传统观念里女人应该更矜持，不该主动，但是女性朋友们，你们因此错过了多少好男人啊！所以喜欢就要去追，黄小厨支持你们。

大多数时候并不是因为男神难追，而是方法不对。就拿送礼物来说，男人给女人送情人节礼物稀松平常，女人给男人送情人节礼物却很少见。这一点，日本男人就要比中国男人幸福得多。在日本，情人节这天男人会收到比女人更多的礼物，怪不得大家那么喜欢日本姑娘呢！所以想要追到男神，大胆地去送礼物吧。

当然还有更好的追男神的方法，就是给他做饭。男人基本上都是吃货，拴住了他的胃，还怕拴不住他的心吗？不仅要给他做饭，还要邀请他去你家。尤其是要给他做甜食，因为甜食能够使体内分泌很多的多巴胺，它会让我们感受到幸福，更容易激发爱情的感觉。

我教女性同胞们一道追求男神的必杀美食——玫瑰烤酥胸。这名字听着有点性感，其实就是我们所说的蜜汁烤鸭胸，但我结合了撒花瓣制造浪漫气氛的经验，同时把鸭胸改叫酥胸也有一点点挑逗暗示的意味，所以当你给他端上这道甜蜜的美食，再来杯美酒，浪漫的气氛也就随着玫瑰花瓣和香甜的美食被营造出来了，拿下男神也就胜利在望。如此富有创意又结合我人生经验的菜，还有性感的菜名，用以创造浪漫气氛，我应该去申请专利！

到厨房去试做这道玫瑰烤酥胸吧。

{ 玫瑰烤酥胸 }

※ 食材 & 作料

带骨鸭胸、玫瑰酱、盐、黑胡椒粉、百里香、食用油、醋、糖、小洋葱、芦笋、酒

※ 步骤

1

鸭胸洗好后，用一点醋、盐、糖、黑胡椒粉、百里香、小洋葱等腌制。

2

将腌制好的鸭胸放入油锅中煎一下，可以倒一点酒进去。

3
——

将煎好的鸭胸放入
烤盘，180℃，烤
20分钟。

4
——

利用烤鸭胸的时间
煎一下芦笋备用。

5
——

将烤好的鸭胸切成
厚片和芦笋摆盘，
浇上玫瑰酱汁，撒
上百里香和食用的
玫瑰花瓣。

成品

春天的征程，就从"二月二，龙抬头"开启。传说这是龙王抬起头的日子。龙王睡醒，也要开始工作了。这段时间，龙王的工作除了保护我们人类，主要还有造雨。作为凡人的我们这个时候得好好伺候下龙王，敬龙祈雨，让龙王多下点雨，保佑我们这一年的好收成。

"龙抬头"这天的习俗有很多，农家一般都会吃鼓撅（juē），就是手搓的面条，还有炒玉米，用高大上的说法就是爆米花。古时候还有个习俗，在这一天让孩子们开笔写字，寓意孩子能够早日断文识字。老北京在这一天还会吃春饼和驴打滚，并且要把出嫁的姑娘接回家。

到了二月二这一天，食物的名称也会变得不一样，吃水饺叫"吃龙耳"，吃春饼叫"吃龙鳞"，吃面条叫"吃龙须"，吃米饭叫"吃龙子"，吃馄饨叫吃"龙眼"……一听这些名字就不敢吃啊，谁敢吃龙呢……总之这一天的习俗花样繁多，但目的都一样，便是迎接春天的到来。

二月二，我们沿袭至今的最重要的传统就是"剃头"。俗话说："正月里不剃头，正月剃头死舅舅。"所以，大家都等着到了二月初二这一天再剪头发。这一天，如果你不是哪家美发店的VIP，排一天队也不一定能剪个头发。

到了龙抬头，剪完了头发，意味着我们就要从"头"做起，踏上春天的征程，开始奋斗了。

所以我要给大家推荐一道能量满满的硬菜，这道菜号称是水煮系列的起源之菜，已经有两千多年历史，那就是传说中的——水煮牛肉。首先，牛肉含有丰富的蛋白质，能提高我们身体的抗病能力，可以补充、恢复我们的元气；第二，红红火火，吃辣的食物能让我们从内到外满血复活。不过辣的食物吃多了肯定伤胃，提醒大家吃辣的同时保护好胃，这样才能更痛快地享受美食。

做水煮牛肉，要注意几点：首先，肉的选材很关键，选择无筋、无皮、无油、无脂的肉为最佳。从部位来看，宜选择牛后腿部位的肉。其次，牛肉片要切得厚薄均匀，下热汤锅滚至颜色转白断生即起锅，受热时间过长肉质易变老。不要担心会煮不熟，肉放进锅里，变色就马上关火。

　　学好这道菜，做给家人吃，在春天的开始带给他们满满的元气和能量吧。

｛水煮牛肉｝

※ 食材 & 作料

牛后腿肉、淀粉、蛋清、盐、料酒、生
抽、郫县豆瓣酱、黄豆芽、辣椒粉、花
椒、蒜、香葱、食用油

※ 步骤

 1 — 将切片后的牛后腿肉加入淀粉、蛋清、盐、料酒、生抽抓匀，再腌10分钟。

 2 — 锅内倒入油，中火烧至六成热，下郫县豆瓣酱炒出红油，加入开水煮开。

3
—

黄豆芽放入汤中汆烫断生，捞出放在碗底。

4
—

锅中保持沸腾，下牛后腿肉煮至肉片展开即离火。

5
—

将煮好的牛肉和汤汁倒入碗内，撒上辣椒粉、花椒、蒜碎和香葱碎，炒锅内重新倒入油，烧至七成热浇在碗中的肉片上即可。

成品

春分 ·

让躁动的心回归平静

川贝雪梨炖雪蛤

我国有一本养生秘籍《黄帝内经》，其中说春季是阳气生发的季节，又是肝气旺盛的季节，饮食方面只要不小心，很容易就会出现肝火旺盛的情况，即所谓的"春燥"，用俗话来说就是上火。而且随着天气逐渐变暖、人的毛孔舒张、血管的供血量增加，这些因素会导致身体困乏，整天没精神。因此，根据《黄帝内经》的养生指南，到了春季应该去燥，也就是去去火。

"路怒症"就是典型的躁动上火的表现，尤其在堵车比较严重的一二线城市。路怒症又叫

"阵发性暴怒障碍"。有这种症状的人平时很正常，跟普通人一样，但是一开车就变身，出口成"脏"，脏话连篇，还附加各种侮辱性手势，常常强行并道，阻止他人并道，急刹车、急加速、频繁按喇叭等。还有一种躁动上火的表现是易怒，爱发火，动不动就喜欢跟媳妇、朋友、同事吵上一架，被邻居们亲切地称为"吵架王"。

但是，无论在哪儿，无论跟谁，无论什么形式，发火吵架总是非常伤人的。你图一时之畅快，伤害的却是对方的心。尤其是对爱你的人，更不能随意发火，要合理控制自己的情绪。

控制情绪的方法很多，我给大家列举一下：数颜色法，就是要发火时用眼睛寻找周围的颜色，这样能让自己快速冷静下来；写日记，据说发火后人都会非常后悔，常常写日记能够让你潜意识里觉得发火后果很严重，时间长了就能忍住了；运动纾解法，做一些剧烈的运动，这样能将心里积蓄的情绪发泄出来；音乐治疗法，简称乐疗，通常是去 KTV 嚎上两个小时，效果非常明显，唱完心情愉悦；当然，约上两三好友，喝上两杯也是可以的。

在这些方法之外，再推荐一道应季的去燥去火的甜品给大家，川贝雪梨炖雪蛤。《本草纲目》记载："梨者，利也，其性下行流利。"梨味甘、性寒，入肺经，有清热、化痰的作用。咱们入菜用的是肉质嫩白如雪的雪梨。俗话说"千年赵州，万年雪梨"，石家庄赵州的雪梨肉质细脆、汁多味甜，最适合用来做炖梨。雪蛤，学名叫"东北林蛙"，是我国著名的经济蛙种，肉质鲜嫩，补性温和，最重要的是滋阴润肺，很适合在春天食用。木瓜性温，具有消食、驱虫、清热、祛风的功效，主治胃痛、消化不良、肺热干咳、乳汁不通、湿疹。银耳能提高肝脏的解毒能力，保护肝脏功能，不但能增强免疫能力，也是一味滋补良药。

除了吃川贝雪梨炖雪蛤，也可以来上一杯绿茶，找一本好书，静下心来慢慢翻看，这都是很好的。我们讲春日去燥，通过合理饮食、合理规划作息都可以很好地将我们的身体调整过来。但是《黄帝内经》又说了，身火易去，心火难除，什么意思呢？就是我们心里的躁动最难处理。

每个人都有自己的情绪形态与模式。在愤怒之时，乱发脾气会影响人际关系；不发脾气、长期压抑又伤害自己的身心。也就是说，无论哪一种情绪形态，都存在一个控制与宣泄的问题。但是，一个成熟的人必须要学会控制自己的情绪和自己的心。

像我这个岁数的人，上有爸妈，下有子女，身边有妻子朋友兄弟姐妹，在家是父亲，在公司是领导，还有包括喜欢你的观众，身边的一切都跟自己有着密切的联系。这种联系不仅仅是一种人际关系，更是一种情感的纽带，因为你时刻都会影响到身边的人，甚至你的情绪好不好，直接关系到他们一整天的心情。说句心里话，你之所以有现在的成就，跟他们有着密不可分的关系。所以为了所有爱你的人，千万要控制好自己的情绪与心情！

{ 川贝雪梨炖雪蛤 }

※ 食材 & 作料　木瓜、川贝、雪蛤、雪梨、银耳、冰糖、枸杞

※ 步骤

 1
木瓜对半剖开，挖除瓜籽。

 2
雪蛤泡发择开。

 3
银耳泡发择成小朵。

4
—

雪梨去皮切成小丁。

5
—

将川贝、银耳、雪蛤、雪梨、冰糖和枸杞放入木瓜中，加入水。

6
—

放入蒸锅中隔水炖60分钟。

成品

谷雨
·
抓住春天的尾巴

香椿鱼儿

　　"清明断雪，谷雨断霜"，这句谚语是指谷雨节气的到来意味着寒潮天气基本结束了。田中的秧苗初插，最需要雨水的滋润，而这时如果雨量充足而及时，将大大有利于谷类农作物的生长，所以又说"春雨贵如油"。

　　由于谷雨是春天的最后一个节气，气温回升加快，人们也开始进行大范围的户外活动，古代就有"走谷雨"和赏花的习俗。"走谷雨"就是在谷雨时节外出闲逛，呼吸新鲜空气。尤其是在北方，人们愿意在谷雨时节前后、气温回升的时候外出踏青。

春天真的是很短暂。今年的春天过完，也就不会再回来了。所以就算知道人多，有时候我和多多妈妈、多多、妹妹也会凑凑热闹。一家人会选一个阳光刚好的日子，放下一切俗务，去郊外踏青、采摘。看着大大小小的人儿，三三两两地在郊野中荡秋千、放风筝、打球，我的心情好像也随着柳絮放飞了一样，觉得很幸福。

郊外的自然环境特别能唤起人的童心。大概在我读三年级的时候，家里的大院要拆盖成楼房，于是全家暂时搬到了十里居。那时候三环外还有很多农田，我房间的窗外就是亮马河，河的两边都是麦田。到了春天，我们就自己糊风筝。用竹篾子、报纸，还有一轱辘缝衣服的线就能糊，俗称"屁帘儿"，样子很丑，但能飞很高。好像在大自然里，人更容易释放出自我的那种天性。

谈及谷雨季节的吃食，香椿自然当仁不让。早在汉朝，香椿曾与荔枝一起作为南北两大贡品，深受皇上及宫廷贵人的喜爱。宋代的诗人苏轼盛赞："椿木实而叶香可啖。"谷雨前后正是采摘香椿顶芽的季节，我家就种有一棵香椿树，每年这时候都能收获很多的香椿。

我非常喜欢香椿，香椿有股子土味，甚至还带一点点的臭。

香到臭边上但还不到臭，那就是极香，浓郁的香。香椿就有这种在味道边缘游走的效果。其实不光是香椿，我对所有的香料都很着迷，像九层塔、迷迭香，还有烤肉用的孜然。

香椿也带了个"春"字，这名字起得好，此时的人间就该是冒出嫩芽，让你看到春，让你嗅到香。每一枚香椿，对于每一个没吃过它的人来说，都是一个谜。因为口感实在独特！爱它的人觉得香死了，恨不得一到能吃香椿的短暂时节，就自己抱着一盆香椿，旁人谁都不能碰。不爱它的人会觉得世上竟然有如此怪异的食物，恨不得绕着道走，一辈子也不会碰一下。

真心爱一道菜、爱一个季节、爱一个人，都需要在过程中感受它，并且珍惜这短暂而美好的心情。我喜欢吃美味的一餐，也享受用心准备一餐的过程。一切短暂的美好，都可以让你更加深刻地感受到生活，享受到乐趣。你可以一个人坐在阳台晒太阳，感受春光；有时间的话，也可以和家人一起外出，采摘、野餐、钓鱼。感受美好的方式有时烦琐有时简单，但用心去体会和珍惜，才是对待春光和生活应有的态度。

{ 香椿鱼儿 }

香椿芽、鸡蛋、玉米淀粉、盐、椒盐、食用油　　※ 食材＆作料

※ 步骤

1

将香椿芽放入沸水中汆烫熟。

2

将玉米淀粉和鸡蛋混合成鸡蛋糊，再调入少许盐。

3

汆后晾凉的香椿芽蘸上一层玉米淀粉。

4
——

将沾有淀粉的香椿芽放入鸡蛋糊中裹匀。

5
——

将香椿芽放入锅中炸制成金黄色。

6
——

捞出炸好的香椿芽沥干油分，用椒盐蘸食。

成品

　　今年（2017）五一劳动节有三天假，但其中两天是周六周日，这样算来，大家心心念念的五一长假其实就放了一天假而已。但当你还在抱怨只放一天假的时候，要想到还有成千上万的"加班狗"是没有假期的，还打了鸡血似的奋战在工作岗位上。在此我姑且按照客观因素和主观意识将加班的人分为两种群体，一种是自主加班族，另一种是被迫加班族。

　　先说说被迫加班族吧。被迫加班基本上都是源于老板，这些老板基本可以分为五种类型。

第一种，剥削压榨型。这些领导深谙西方资本主义的价值发掘之道，致力于提高生产力，占尽员工便宜，榨干每一滴剩余价值。

第二种，外行装 X 型。这类领导或许是关系户，或者是 A 业务做得不错就顺便让他管 B 业务。所以，最粗暴直接的方式就是让员工不停地做，不停地加班。

第三种，昼伏夜行型。这种领导属于夜行侠，通常到了下午才慢悠悠地来公司上班，下午处理完上午积压的工作，到了下班时开始亢奋起来，底下的人也只能拖着疲惫的身躯陪他"奋战到底"。

第四种，蛮干黄牛型。这类领导脑子不行，能力一般，只能将勤补拙，自认为一件事做不好，做个十件八件总有一件能讨上层欢喜，带着底下一大帮人瞎折腾。

第五种，传销忽悠型。这类领导擅长激励员工，擅长画饼，就像传销分子一样，大家一起无偿加班吧，为了共同的理想一起奋斗吧。

不过也有人站出来反对了："我喜欢加班，我爱加班，加班使我快乐！"确实有这么一群人，我管他们叫作"主动加班狂魔"，这群人也基本可以分为四类。

第一类就是"年轻新鲜人"。多数是刚毕业不久的社会新鲜人，典型的三无青年：无钱、无房、无性生活……下班回家后，独自宅在出租屋里。相对来说，公司的环境反而高大上多了，再加上现在的很多公司还蛮"人性化"，所以下班后基本就把公司当网吧，也算是合理利用资源吧，过得有滋有味。

第二类是"中年乏味大叔"。通常已婚，家庭压力比较大。回到家一大堆家务琐事要处理，比上班还累。与其回家做家务哄老婆带孩子，还不如在公司加班侍候老板来得轻松。

第三类就是"血汗奋斗青年"。该种族的宗旨是"赚得一分是一分！"一般在这样的公司，老板的潜规则是按加班的多少来评KPI（关键绩效指标），KPI又决定了你拿到手的钱有多少，于是广大胸怀大志的有为青年纷纷走上这条加班的不归路。

第四类就是"入乡随俗者"。这种人的公司通常有个特爱加班的老板，还有一群早就被培养出良好加班习惯的同事，所以即使没什么事做，下班后个个都还逗留在公司，感觉正常下班就是不合群、不尽职、不道德。

但无论哪种类型的加班都不应该以牺牲健康为代价，应时不时地犒劳一下自己，吃一些增强免疫力、抗疲劳的美食。四月底小河虾上市了，它富含蛋白质和氨基酸，还有大量的虾青素，能够抗疲劳和增强免疫力，据说还可以消除"时差症"。工作到昼夜颠倒的加班族们，小河虾这道食物就是为你们量身定做的！

{ 油 爆 小 河 虾 }

※ 食材 & 作料

小河虾、韭菜薹、生抽、盐、料酒、糖、
白胡椒粉、食用油

※ 步骤

1
—

将小河虾剪去须、
脚。

2
—

韭菜薹切成小段。

3
—

锅中放入大量油烧热，放入小河虾，炸至酥脆通红捞出待用。

4
—

锅中留底油放入生抽、料酒和糖，随后放入韭菜薹。

5
—

小河虾和韭菜薹一起翻炒均匀，加入盐、白胡椒粉。

成品

◎ 虾籽烧茭白

◎ 玫瑰鲜花饼

◎ 苦菜包子

◎ 鹅厂饭团

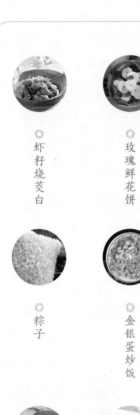

◎ 粽子

◎ 金银蛋炒饭

◎ 自助凉面

◎ 烤羊肉串

◎ 饺子

◎ 三色糕

立夏 ·

青春不只属于少年

虾籽烧茭白

　　立夏是春夏之交的节气，此时到处充满着勃勃生机。自古以来立夏这天就有许多习俗，比如喝酒饯别春天、"称人"祈求顺利度过炎夏、斗蛋游戏和煮食豌豆等，当然还有"尝新"，品尝一个新季节的美食。

　　夏季正是茭白上市的季节。这个季节的茭白鲜嫩可爱，就像初夏一样，有着让人难忘的清香与爽利，只要简单烹饪，就能吃出它自身的鲜嫩口感。茭白是我国特有的水生蔬菜，长得又像瓜，又像笋，一根根白白胖胖，头顶上还有残余的绿叶子。新鲜的茭白含有大量的糖和氨基酸，使得它有一种特有的鲜甜滋味儿。它和鲈鱼、莼菜并称为"江南三大名菜"。由于它能清热祛湿，特别适合在夏天食用。在这个季节，我喜欢做的一道菜是虾籽烧茭白。

如果把人生不同阶段比作节气的话，我想青年无疑就是人生的立夏了。青年人意气风发，朝气蓬勃，对未来充满憧憬，那种迎面而来的青春活力的气息，给人一种恰同学少年的感觉。

一个人如果还保持着对一些事物的热爱和痴迷，肯为它不怕麻烦，那么青春就还没有离他太远。我已经是几个孩子的爸爸了，却并不觉得青春离自己太远。因为我在属于青春的日子里过得很丰富，虽然也干了很多现在看起来冒着傻气的事，但正是那些日子成就了今天的我。

在北京电影学院读本科的时候，我是全班的"爸爸"。按年龄算，我是同学中最小的，可是我细心，会照顾人，做菜特专业。我去姜武家，基本没进过正厅，就一直得在厨房里忙活。刚炒完个茄子，正烧第二个菜，里边传来一声"茄子再炒一个"，我就得再来一个。

当时宿舍里经常开舞会，我就负责做沙拉。我拿了一个不知谁的脚盆，用洁厕灵刷了好几遍，买一堆水果，然后开始切。一个苹果切成四个方块，然后姜武他们站一队，一人领一果核站边上啃，啃完第一个再啃第二个。舞会全程我都在切水果，然后看他们和女同学抱在一起跳舞。除了做沙拉，当时我还在宿舍里烤馍片，一个馍切成四片放在炉子上烤，香味把楼上的女同学们都给吸引下来，因为这事我在同学中名声大噪。

回想起青春，可能都有点儿傻乎乎的，总是在冒冒失失、跌跌撞撞中探索和追求。我唱过歌，主持过电台节目，做过导演去描绘一代人青春的样貌。作为演员，我也演绎过各式各样人物的青春岁月。就是这许许多多的热爱和尝试，让我现在有更多的能力去做自己喜欢的事。

立夏之后，到处都变得生机勃勃，自然似乎变得越来越有能量和生命力。青春就是拥有很多能量的一段时间，你拥有年轻的面孔、精力旺盛的身体，等等。青春也有很多未知数，渴望获得更多，但等你都拥有了之后，就开始回望青春了。最后当你回头看人生的时候，会发现一切东西都带有青春的痕迹。

青春不只属于少年，虽然人的身体会衰老，心却不会老。很多时候，我们在成长、在成熟，青春却不该被消耗掉，反而更应该有更多勇气来做真正的自己、做自己喜欢的事。在对生活有了很多体悟之后，我们不是去因循守旧和固步自封，而是懂得生活，更加热爱生活的美好。虽然年华似水匆匆而过，但我们一直正青春。

{ 虾籽烧茭白 }

茭白、鲜虾籽、香椿苗、料酒、盐、食
用油

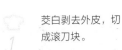
茭白剥去外皮，切
成滚刀块。

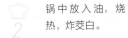
锅中放入油，烧
热，炸茭白。

3

茭白炸上色后，捞出沥干油分。

4

锅中留底油回锅茭白，放入虾籽，再调入料酒和盐翻炒均匀。

5

最后装入盘中，点缀鲜虾籽和香椿苗即可。

成品

在中国，被誉为母亲花的不是康乃馨，而是萱草，母亲住的屋子又叫萱堂，因此常以萱草比喻母爱，如孟郊的游子诗："萱草生堂阶，游子行天涯。慈母倚堂前，不见萱草花。"萱草也叫忘忧草，在厨房里被称为黄花菜，既好看又好吃，所以咱们国家的母亲花更加有意义。

年少时，我们不懂母亲到底为我们做了什么，觉得好像一切都是天经地义的。等到成年以后回过头去看，才发现母亲为我们付出了太多太多。

玫瑰鲜花饼

很多时候，母亲并不是一个词语、一个称谓，而是一种时时刻刻围绕在你身边的感觉，是温暖的，是无处不在的，而我们在成长的过程中却总是想要挣脱这种温暖。

朋友们，你们记忆里母亲的形象停留在哪一个瞬间呢？我不想说两鬓斑白，我想说说那些你不知道的事情。你可能不知道，你的妈妈在你出生以前也曾经是个普通的小姑娘；你可能不知道，那时候她还很害羞、很内向，她和男孩说话会脸红，收到情书会偷偷躲到被子里看；你可能不知道，那时候她也贪玩、爱美，她留着你未见过的长头发，她会听邓丽君的歌，读张爱玲的书，会跳迪斯科，会在旱冰场偷偷看自己喜欢的男孩；你可能不知道，有一天，你来了，整个世界都不一样了，她开始变得安详、温和、内敛，也开始变得焦虑、琐碎、粗糙，从此，她不关心流行、不关心文学，甚至不关心自己的前途和时间，她关心的只有你。

我想到一个问题，你们跟自己的母亲说过"谢谢"吗？或者，你跟自己的母亲说过多少次"谢谢"？我说过的次数甚至都能够数得出来。

幼儿园里，有一堂课肯定会教给孩子，给妈妈打一盆洗脚水，跟劳累了一天的妈妈说"谢谢"，而这一堂课常常就在母亲节那天。到了小学，肯定会有一份作文课的作业叫"我的母亲"，放了学，老师会让你将作文带回家给妈妈看，跟妈妈说"谢谢"，而这一节课也常常在母亲节那天。

到了结婚那天，婚礼会有一个环节，让你和身旁的爱人对自己的父母三鞠躬，敬茶表示感谢，而往往当那句"谢谢您"说出口的时候，你们的母亲早已泪流满面。连同事帮你下楼取个快递你都要说一句"谢谢"，而面对母亲我们最应该说出口的感谢，为什么却总是难以启齿呢？

我们这一生跟父母在一起的时间随着年龄的增长会越来越少，而跟母亲说感谢的机会对于很多人来说屈指可数。中华民族是感情内敛的民族，人们往往习惯把感谢记在心里，不善于用语言去表达。我们可能会觉得，跟自己的母亲说感谢太矫情，会觉得谢谢应该是对外人说的，对自己的母亲没有必要。那么，我们可以用一道美食来对她们表示感谢——玫瑰鲜花饼，朴素的外表下包裹的是满满的情感，馥郁芬芳。

玫瑰一定要选择云南的食用玫瑰，每年5月初正是云南玫瑰的盛放期，此时的食用玫瑰花瓣脆嫩饱满，香气宜人，最适合作为鲜花饼的原材料。食用玫瑰可以去心火，令人保持精力充沛，最重要的是改善内分泌，让母亲的容颜白里透红。

{ 玫瑰鲜花饼 }

※ 食材 & 作料

低筋面粉、玉米油、食用油、盐、糖、
糯米粉、玫瑰酱、鲜花馅料、红色色素

※ 步骤

1

低筋面粉加水、玉
米油和面，包保鲜
膜饧面。

2

低筋粉加入食用
油，准备油酥，包
保鲜膜静置。

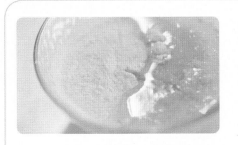

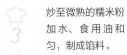

3 — 炒至微熟的糯米粉加水、食用油和匀，制成馅料。

4 — 将馅料倒入准备好的玫瑰酱中拌匀。

5 — 油面和油酥分别分成9份，然后用油面包裹住油酥。按扁擀成长条后卷起，按扁再擀开。

6 — 最后卷起，按扁擀成圆皮，包入鲜花馅料，稍稍按平。

表面用叉子扎孔，用红色色素点红点。

放入烤箱180°C，烤25分钟，10分钟后盖锡纸避免上色。

成品

　　四季有时，立夏过后迎来了入夏后的第二个节气 —— 小满。从这时开始，北方大麦、冬小麦等夏熟作物籽粒已经结果，渐渐饱满，但尚未成熟，所以叫小满。

　　如果留心观察二十四节气，会发现很多节气是相对着的。比如说小暑大暑、小雪大雪、小寒大寒。以此类推，小满这个节气应该对应的是大满。可是并没有大满这个节气，小满之后是芒种。为什么没有大满呢？这大概是跟中国传统文化中讲的中庸之道有关。忌讳"太满""大满",古语就有"月满则亏""水满则溢""物极必反"的说法。自然界的万物都遵循着由兴到盛、由盛转衰的客观规律运行变化。当事物发展到极盛的阶段之后,就会向相反的方面转化。作为自然界的一部分,人也是一样。人生不要奢求太满、大满,小满的人生才是最幸福的。

　　人的满足是分不同层次的,首先是基本的生理需要的满足,包括食物、饮水、住所、睡眠、氧气,即通常所谓的衣食住行,那些在外奔波的人们对此深有体会。其次是归属感和爱需要的满足,渴望在团体和家庭中有自己的位置,渴望归属感,渴望爱与被爱的感觉,希望有自己的朋友和爱人,那些苦于找不到男女朋友的人对此也深有体会。

　　再高一点就是自尊需要的满足,令人获得一种自信的情感,使我们觉得自己在世上有价值,自己是必不可少的,能为别人所需要。

　　最后是自我实现需要的满足,"自我实现",也就是努力使自己成为一个独立、独特的个体,成为自己想成为的那种人。这一条的满足是最难的,但也是最简单的,一切在于你想成为哪种人。

　　其实,我们不需要对满足认识得这么精确,因为满足就是一种让你幸福和快乐的感觉,是因人而异的。乞丐吃一顿饱饭就会感到满足，渔夫捕到鱼就会感到很满足，企业家经营好一家企业也同样会感到很满足。我们身处的位置不同，对于满足的要求也是不一样的。但是，无论如何，容易满足的人总是会很快乐的。

我觉得自己正处在人生中最美好的年龄。到了不惑之年，算是尝遍了生活的酸甜苦辣。很多事即使看不透彻，也不再较劲，懂得顺其自然。而现有的生活让我感到很满足，有自己喜欢的工作，经济独立；有一个有爱的家庭，有空和朋友一起聚聚；有时间可以出去看看风景，宅在家里的时候下厨做饭……这些都让我觉得幸福。

我国古代将小满分为三候："一候苦菜秀；二候靡草死；三候麦秋至。"这是说到了小满，苦菜枝繁叶茂，喜阴的一些草类在强烈的阳光下开始枯死，此时麦子开始渐渐成熟。到了夏天，很多人容易苦夏，没有食欲。而苦菜恰恰具有清热解毒、增进食欲的作用，还能增强免疫力。

苦菜的口感，苦中带涩，涩中带甜。苦菜可以凉拌，凉拌能把苦菜的清香发挥到极致，热水稍微汆烫，加点盐、醋、蒜汁，特别开胃。怕麻烦的人可以省略以上步骤，直接洗洗生吃，原汁原味。吃油腻的东西，搭配苦菜最解腻了。我与大家分享点不一样的，包顿苦菜包子，忆苦思甜。

　　二十四节气充分体现了我国劳动人民的智慧，小满之后不农忙也不行。此时还只是要满未满，要想在芒种时节得到更大收获，就要持续耕种。人也一样，要不断努力，生活才能不断有小满。

　　人的一生其实很短暂，知足常乐才会更容易得到幸福。愿我们每个人都能好好活着，不求圆满，但求自满；不求大满，愿得小满。

{ 苦菜包子 }

※ 食材&作料

五花肉、苦菜、面粉、食用油、酱油、葱、盐、生姜、香油、
酵母粉、五香粉

※ 步骤

1 用温水兑开酵母
粉，倒入面粉和成
面团，饧面一个
小时。

2 将五花肉剁成肉
馅，加入姜末、酱
油、盐、食用油、
五香粉调味，加温
水搅匀。

3 苦菜择洗干净，放
入沸水汆烫，放凉
水后切碎。

4
—

将剁碎的苦菜、葱花放入肉馅搅匀，滴入适量香油。

5
—

将发酵好的面团揉匀，切成大小均匀的面团，擀成包子皮后包入肉馅。

6
—

笼屉抹油，放入包子，开大火，上汽后蒸15分钟，关火虚蒸3分钟即成。

成品

芒种是夏季的第三个节气，"有芒的麦子快收，有芒的稻子可种"。芒种的到来标志着仲夏时节的正式开始，也意味着中国长江中下游地区的梅雨季节也要来临了。正所谓"收麦如救火，龙口把粮夺"，要趁着梅雨来临前把麦子收了。而在芒种节气的前后，也会迎来六一儿童节。

自从多多开始过儿童节，我和孙莉几乎陪她度过了每一个"六一"。当然，每个儿童节对于家长的考验也各不相同，有演话剧的任务、有做手工的任务、有画画的任务，还有各种户外体验的任务。开始时，家长们肯定都是抱着配合学校工作的态度去的，以为走个过场就完了，但是后来你会发现你不是来走过场的。

如果你总是以走过场的心态参与学校的活动，不久你就会发现，孩子生命中的这一阶段也像走过场一样过去了。我们恰恰要感谢这样的机会，不只是让我们见证了孩子的一个个成长的节点，也参与到了这些快乐的时光中。我并不是说在家里就没有跟孩子相处的机会，而是在特殊的环境和气氛下更有仪式感，而孩子对于有仪式感的事情，记忆是非常深刻的。

所以从另一个角度看，儿童节也是给我们成人过的节日。在这一天你可以不以一个家长的姿态，而是以一个朋友的身份参与到孩子的圈子中，换一个角度重新赞美他们。

世上所有的爱都指向团聚，只有一种爱是指向分离，那就是父母对儿女的爱。人到中年为人父母后，我开始对别离越来越能感同身受。我有一群发小，年龄跟我差不多，但他们的孩子都比我们家的大一些。接连两年夏天，我们每到6月就开始参加各种"小别离"的聚会。那是特别真实的生活现场，朋友们坐在一块，说着各自孩子各奔东西的前程。巧的是，我们这几个朋友生的都是女儿，父亲们平常看着特别强大，但只要一讲到别离，一瞬间就崩溃了。那时候，我透过他们仿佛也看到了自己的未来。

　　回家后我就跟妻子讲，大学之前坚决不把多多送出国。我虽然懂得孩子会长大，总有一天会离开我，但到了那天还是会难过。但同时我也理解我那些朋友们，他们也一定都有各自的理由才舍得放手。我强烈地感受到，这个离别距离我越来越近，所以我特别珍惜与女儿在一起的点滴时光。

　　一个孩子，从母亲那里更多地感受到温暖、包容、理解；从父亲那里，则更多地认识到什么是力量、规则、秩序、边界、原则。父母双方的陪伴，对孩子的成长都是不可或缺的，并且，孩子的成长只有一次。夫妻两人的关系好不好，除了他们本身，最敏锐感受到的人就是孩子。孩子最好的教育来自爸爸爱着妈妈，如果爸爸在孩子面前表达自己对妈妈的爱，除了妈妈自己，孩子的心也会像吃了棉花糖一样甜。这样，孩子就能够拥有足够的安全感。父母就像孩子的双翅，少了任何一方，或一方比较强大，一方比较弱小，孩子都无法飞得高远。父爱的极致，就是好好爱孩子的妈妈。"陪伴是最长情的告白"，这句话听起来有点矫情，但其实非常接地气。相比起"我要给你更好的生活，给孩子更好的未来"这样一个华丽的承诺，也许我们会觉得"今天我做饭，吃完饭我们带孩子出去走两圈吧"这样的话更暖心。

｛ 鹅 厂 饭 团 ｝

※ 食材 & 作料　米饭、腌梅子、油浸金枪鱼、沙拉酱、胡萝卜、寿司海苔、
鹌鹑蛋、西蓝花

※ 步骤

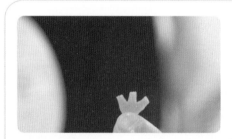

胡萝卜切片，刻成
1
企鹅脚丫形状。

将蒸好的适量米饭
2
放入企鹅模具中
压紧。

将去核的腌梅子放
3
入米饭。

4

重复以上步骤，用油浸金枪鱼和沙拉酱再做一个。

5

将寿司海苔用模具制成企鹅形状，包裹在饭团上。

6

用胡萝卜和寿司海苔装饰出眼睛、嘴和脚丫，装饰西蓝花、鹌鹑蛋摆盘。

成品

端午节 ·

全世界都在吃粽子

粽子

　　端午节是一个非常传统的中国节日，对每个人来说"意义重大"。为什么？因为凡是跟特殊食物有关系的节日，大家都会特别重视。也因此，我们现在常常会将端午节改名为粽子节、中秋节改名为月饼节。端午节的由来，对于每一个中国人来讲都不陌生——诗人屈原投江后，爱戴他的楚国百姓们怕江中的鱼龙虾蟹把屈原的肉身咬坏，于是就划着船到汨罗江中间，将做好的饭团、鸡蛋等食物全部扔到江中，让鱼龙虾蟹去吃，从而保护屈原的肉身。此外还有一个习俗，喝雄黄酒或者抹雄黄。一些人家粮食不够，就用雄黄酒代替，把酒倒进汨罗江，希望那些鱼龙虾蟹喝了雄黄酒之后，头昏脑涨，就忘了去寻屈原的肉身。这种民间的传说一直传承下来，就成为了节日的习俗——划龙舟、吃粽子、喝雄黄酒。

端午节在我的童年记忆中，有几件事印象深刻。一是雄黄。一到端午节我父亲就去药店买雄黄，回来把雄黄用白酒调了之后，在我和姐姐的额头上抹一道，这样就可以让小孩子远离毒虫叮咬，驱邪避害。这是父母对孩子的祝福和心愿。但我父亲很爱闹，喜欢折腾我和姐姐，经常恶作剧。他用雄黄给我抹个胡子、额头上写个"王"、画个眼镜……印象中小时候的端午节，我脸上画的全是雄黄。自己当时还在想，《白蛇传》中法海让许仙给白娘子喝雄黄酒，让她现出原形，父亲给我们抹雄黄，该不会也是想让我们现出原形吧。第二件印象深刻的事是我们家端午一定会包粽子。我妈妈还会包"彩色粽子"，先用硬纸壳做成一个粽子形状，然后用彩色的绳子把它缠起来，有大的有小的，弄一串，挂在家门口，挂在我们身上。有时也会用线织的小网兜，装红鸡蛋或者鸭蛋挂在我们身上。第三件事是小时候孩子们过端午都很喜欢吃"五毒饼"。老舍先生在《四世同堂》里面写到过，小顺跟妞子他们闹着要吃五毒饼。那个饼有点像绿豆糕，用模子里的蛇、蝎子、蜈蚣、壁虎、蛤蟆五种图案，压到饼上面。民间传说小孩子吃过后，就不会被蛇咬、被蜈蚣叮。同时，我妈妈还会用五色的线编成绳子，系在我们的手腕上，或者绑在我们脚腕上。习俗讲，小孩子绑上这个绳子，从端午一直绑到阴历的六月六，等绳子自己断掉后，把它扔进河水里，就可以将毒害都带走。

这些传统习俗都渐渐消失了，但如今人们开始有意地重寻、重温这样的节日记忆。

端午节，最重要的还是粽子。南方与北方的粽子不同。北方的粽子通常是甜的，内容比较简单，比如东北就是糯米加红枣；有些地方稍微复杂，有红豆沙馅儿的粽子，剥开之后蘸白砂糖吃。南方的粽子就比较复杂了，嘉兴有肉粽、火腿粽、香菇粽，等等；高邮有咸鸭蛋蛋黄的粽子；还有些地方包"水晶粽"，所谓水晶，就是肥肉丁，因为腌过的肥肉蒸出来以后是透明的。

各地在粽子包法上也有不同，通常用两到三片宽的粽叶折成一个尖尖的斗，将糯米和馅料放进去，盖住，然后再包再折，用棉线或者草绳扎紧，包完之后把多出的那一块粽叶剪掉，成品是三角形。我去湘西，发现当地的粽子是包成圆柱形的——将馅料放进粽叶后卷起来，两头一折，再缠线，最后缠得像个柱子。我妈妈包的粽子，就只用一片粽叶，包成锥状。我还听说，有些地方会包扁粽子、方粽子，总之形状各不相同。

我妈包的是白粽子，也叫碱粽子，非常好吃。用碱水泡糯米，泡完之后，糯米泛出偏黄的颜色，煮出来的粽子会变成金黄色，有浓郁的碱香。这种碱粽子讲究吃冷的，煮熟晾凉之后放进冰箱，它会稍微有点反生。再取出来时用开水稍稍煮一下或者蒸一下，晾凉，蘸白糖吃。现在每到端午节，我妈还是会包很多很多碱粽子，给我家、我姐姐家、我岳父岳母家都送去一些。

中国人就是这样，在不同的节日，用美食做情感的交流和传递，这也是对于传统习俗的传承和延续。儿时有一年端午节，我的父亲母亲出门演出不在家，我的外公专门从湖南跑来家里，带我和姐姐。那时候物资比较匮乏，外公找不到粽叶包粽子，只好去买粽子，但无奈没有排上队。那天晚上我哭了，哭得非常伤心，对外公说："今天全世界都吃粽子，就我没吃到。"所以直到今天，每当吃粽子的时候，我就想到我的外公，也会想到，自己那个时候在哭。现在我四十多岁了，我父亲八十岁了，每到端午节父亲依然还会打电话对我说："今天全世界都吃粽子，你吃了没有？"

{ 粽子 }

※ 食材 & 作料　粽叶、糯米、红豆、红枣

※ 步骤

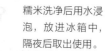

1

糯米洗净后用水浸泡，放进冰箱中，隔夜后取出使用。

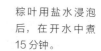

2

粽叶用盐水浸泡后，在开水中煮15分钟。

3

取两三片粽叶交叉相折成锥状，放入糯米和你想放的馅料，泡好的红豆或者几颗红枣。

4

将馅料和糯米压紧
包好。

5

用细绳或棉线缠
扎，剪掉多余的
粽叶。

6

包好的粽子在水中
煮两到三个小时。

成品

父亲节 ·

用简单的一顿饭表达爱

金银蛋炒饭

我对夏天的印象，更多是来自北京。北京的夏天，经常下雷阵雨，那个时候我们不关心航班的起降，所以也不会担心雷雨天气；北京的夏天，街边有很多卖西瓜的，大杨树上有很多知了一直在叫；北京的夏天，所有的小孩都会跑到游泳池去，跳进水里面泡着，有时候会去游野泳，比如去什刹海浴场之外的地方，还有黑龙潭、玉渊潭，因为那儿人少；北京的夏天，会吃炸酱面、凉面，喝绿豆汤。

北京的夏天，没有空调，大家在筒子楼里

的厨房做饭，像蒸桑拿似的。厨房是七八家共用的，每家都生着自己的煤炉子。印象中，我爸爸穿着短裤，光着膀子在里面炒菜。我爸爸是一个演员，但我觉得厨房才是他最擅长的舞台，做饭炒菜时候的他，对于我来讲更真实、更亲切，也更有魅力。

北京的夏天，常常下很大的雷阵雨。放学后，我和同学们从学校出来，不带伞，也不穿雨衣，就在雨里面跑，浑身都湿透了，跑回家的那一刻，最期待吃晚餐。那时，我爸爸会做一道全中国人民最熟悉的美食——蛋炒饭。所以在夏天，在父亲节的时候，我自然地会想起这道美食。

在我小时候的印象中，我父亲演出回来，或者我们放学回家，他经常会炒个蛋炒饭。我们家做蛋炒饭，一定会用剩饭。我也认为炒饭非剩饭不可。为什么？因为炒饭一定要干一点、硬一点，这样比较有嚼头，更好吃。当然如果煮饭时就控制好水的量，把饭煮得干一些，颗粒分明也很好。我们家常会用剩饭来做蛋炒饭，再配上新鲜的炒菜或者红烧肉，这是消灭剩饭最好的办法。

蛋炒饭是父亲做的美食里，留给我记忆最深的。在夏天父亲节，我们做儿女的，也可以用最质朴的方式，回馈他们，回家给父亲做一顿最简单、朴实的饭，或者是去牵一下父亲的手，这些都是特别有意义的事情。中国人不善于表达情感，很难对父母说"我爱你"，但我们可以用一顿美食，用一些美好的、日常的方式去表达对父母的爱。

我父亲八十岁了，因为我常出差，跟父母碰面不多，但常常会想他们。有一年乌镇戏剧节，我对父子之间的关系，因为一件小事，有了一种新的感受。当时我和父亲看完戏，从剧场走出来，因为乌镇都是石板路，不平整，我就牵着他的手，领着他往前走。一路上，我都没有松开父亲的手，但也不敢回头看他，我不知道父亲在我身后的目光，是注视着街景，还是注视着我……

父母在意的并不是孩子做多么伟大、多么有成就，而是我们是不是可以像当年他们照顾、养大我们一样，去回应他们。这回应可能是打一个电话、见面吃一顿饭，如此质朴，如此简单。

{ 金银蛋炒饭 }

米饭、鸡蛋、葱、盐　※ 食材 & 作料

※ 步骤

1 把煮好的米饭晾凉后放进冰箱中过夜。

2 把鸡蛋的蛋清和蛋黄分离。

3 单独炒散蛋清和蛋黄。

4

再打碎一个生鸡蛋
拌进米饭里。

5

将炒散的蛋清、蛋
黄和拌好的米饭一
起下锅炒匀，加入
盐和葱花

成品

夏至是北半球一年中白天最长的一天。记得我们小的时候，从这天进入夏令时，要将钟表调早一个小时。同学们上学经常迟到，因为都起不来。等再调回去的时候，会觉得老天爷多给了一个小时。

夏天因为近地面空气受热上升，上层的冷空气下沉，空气的对流使得傍晚常常遇着雷阵雨。我记忆中童年的夏天非常美好，傍晚时分来一场雨，雨把树上的花打到了地上，我踩着那些白的、紫的花，兴冲冲地回家吃饭。

在北方，夏至这天吃面，也是习俗 —— 冬至的饺子夏至的面。我们家里吃的，叫佐料自助凉面。自助的佐料有温水泄开的芝麻酱、香油、醋和糖调成的糖醋汁、葱姜蒜、生抽、芥末油。再就是炒肉末 —— 用葱、胡椒粉、盐将肉馅先腌一下，放点姜末和老抽，下锅里用油把它划开，炒得干干的；榨菜末、芽菜末、冬菜末、摊好的鸡蛋饼卷起来切成丝；再准备黄瓜丝、绿豆芽，用开水烫一烫；如果你想颜色漂亮点，再来点胡萝卜丝；还可以弄点豌豆，稍用水焯一下；花生洗干净、油炸了之后捣碎，捣完之后一吹，就把花生皮吹掉了；还有炒熟的白芝麻……以上所有就是自助凉面的菜码儿。

煮面到七分熟，诀窍是煮到差不多时，夹起一根来，拿手指头掐断它，观察面的中间是否有个白点，那叫"一根线"，一定要保持住有这根白线。面捞出来后，自身的热量还会持续加热，如果煮到十分熟，盛出的面就容易坨。将面捞进笸箩或者竹屉子里，沥掉多余的水，将豆油或者香油淋在面上，准备电风扇，开到最大风，可以用手把面挑起来对着风扇直接吹，像给小朋友吹头发那样。面吹到非常凉甚至有点反生时，盖上保鲜膜，在冰水里冰一下，或者放进冰箱里，等吃的时候就可以把这一大盆抓蓬松的凉面摆上桌了。

夏季给我的感觉是，慵懒，还会有点无聊。趴在阴凉处的那只老狗、蜷在树上的那只小猫、坐在门口乘凉的老人、睡着午觉的婴儿，整个夏天是缓慢的、静态的。也常常会有些声音打破沉寂，比如正午时分会听到有人在街巷里敲铁板，一边叫喊着"磨剪子嘞戗菜刀"，睡着午觉的我会被惊醒，就跑出去看人家磨菜刀。有时候我妈也会让我去把菜刀磨一下，我举着菜刀就出去了。花一毛钱或者两毛钱，磨刀匠人在用一条磨刀石上，反复、认真地磨着每一面刀刃，非常仔细。有时候会听到远处"嘣嘣嘣"弹棉花的。小孩子做作业正在犯困的时候，突然传来门口爆米花"嘭"的一声响，就会跑出去围着爆米花的炉子转。磨菜刀、弹棉花、崩爆米花是我们小时候最喜欢围观的三件事，也是记忆中难忘的夏天场景。

从夏至这一天开始进入真正的夏季。我们在不同的季节，享受不一样的美食，然后再在其他季节去回忆这些享受和收获。我最近在翻看《金阁寺》，三岛由纪夫写到少年遇到了一个同伴，他说："那个时候我们的青春令人炫目地耸立在最高端。"我们每个人生命中都有太多那样的时刻，青春令人炫目地耸立着，多么希望那样和青春有关的美好记忆，在夏天可以再绽放一次，再盛开一次。每个人都可以像夏天的花一样美好。

{ 自助凉面 }

※ 食材 & 作料　葱、胡椒粉、盐、姜末、老抽、食用油、芥末油、香油、蒜泥、芝麻酱、肉末、黄瓜、绿豆芽、胡萝卜、豌豆、干辣椒粉、花生、鸡蛋、干切面

※ 步骤

1

用葱、胡椒粉、盐将肉末先腌一下，放点姜末和老抽，下锅里用油把它划开。

2

黄瓜丝、焯水的绿豆芽和豌豆、胡萝卜丝、摊好的鸡蛋饼卷起来切成丝。

3

花生炸熟后捣成花生碎，去皮。

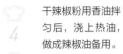 4

干辣椒粉用香油拌匀后，浇上热油，做成辣椒油备用。

5

干切面，宽汤煮到七分熟。

6

捞出面沥干水，拌上芥末油或香油，用风扇吹凉。

7

吹凉后的面条里按照口味拌入准备好的菜码和调料。

 成品

小暑 ·

羊肉串、冰啤酒，更远大的理想

烤羊肉串

　　到了小暑节气，天气转向闷热，常遇着桑拿天，身上黏黏的，哪儿都不舒服。在小暑节气，第一茬和第二茬的水稻可能都已经成熟了。夏天的季节感会越来越强烈，整个人都处在炎热当中。白天太热，人们常是等太阳落山以后再出门。尤其赶上傍晚下过一场雷阵雨，大家吃完晚饭，便去街上遛遛弯儿 —— 小时候跟着爸妈遛；大了以后陪着媳妇或者女朋友遛；再大点领着自己的孩子遛；如果没老婆、没孩子，跟哥们一块出去遛。

年轻时的夏天，三五好友聚在一起，开启了街头模式——街头吃夜宵，大家喝着冰啤酒、吃着烤串儿——现在叫撸串。路边摆满小板凳、小桌子，烤什么都可以，点餐得用喊的，"10串筋10串肉，再来串腰子"。我最爱吃的是羊肉串，尤其喜欢吃半肉半筋的，并且着迷于孜然的味道，总觉得自己身上有新疆人的基因。但特别不幸的是，我找了个不吃羊肉的媳妇，而且她连孜然都不吃，认为孜然味就是羊肉味。但我呢，觉得只要有孜然，东西就特别香，哪怕是孜然炒的豆干。

我们小时候吃羊肉串，用自行车轮里的辐条磨尖，来串肉。吃完的扦子还被回收，重复利用。现在回想起来，估计我没少吃重金属。好朋友若是聚在一块，南方北方各种烤串，有烤羊肉串、鸡肉串、牛肉串、麻雀串，还有些烤素菜，烤韭菜、烤蒜、烤藕片、烤茄子……凡是能串上的，都烤一烤。

但烤串儿的基本款还是烤羊肉串。我在《爸爸去哪儿》的一期里，现场烤过羊肉串。羊腿肉，是特别好的选择，并且要选山羊，因为膻。涮羊肉时需要少点膻气的肉，但羊肉串我觉得膻一点可能更好吃。把羊肉切成骰子丁那么大，用盐、油、孜然、五香粉腌两三个小时，接下来就是最考验功夫的时候——串串儿，要串得肥瘦相间，配着点羊油丁。烤羊肉串的炉子最好是定制的、带着大烟囱的长条炉子，烤时不需要一直翻腾，让一面烤熟了且入味后再翻面，撒上辣椒粉、孜然粉，一手拿五串，如果水平高点，一手可以拿七八串，像个扇面似的，撒完调料之后将双手上的串互相按一按，把调料的味道挤进去，齐活儿。

印象中，羊肉串都是和同学一起吃的，和父母说"爸、妈，今咱仨出去撸串"这种事情几乎没有。关于羊肉串的记忆，更多的是和自由有关。读大学了，兜里有点家里给的生活费，也没有爸妈盯着，天黑就骑车奔学校门口。每个大学的门口，都一定有个烤串的地方。吃着烤羊肉串，配上冰啤酒，一定还有些和吃的无关的：理想、未来、友谊，师妹、师姐、师哥、师弟，还有喝醉了以后的胡闹。有一些悲伤在其中，也有最初的恋爱和最初的失恋。

烤串店里，还有在学校经历的成长：一年级，羊肉串、冰啤酒，加个朝鲜冷面，配个煮毛豆、煮花生；二年级，羊肉串、煮毛豆、煮花生，理想、师妹、师姐；三年级、四年级，临近毕业，会在烤串店里喝得酩酊大醉，抱头痛哭，许下一些长大以后就会觉得并不那么坚实的诺言。

回想起来，孜然和羊肉的味道连接着当时毕业和离别的回忆，所以到了小暑时节的夏夜，就会约上想念的老同学、老朋友一起去撸个串，喝个冰啤酒，再谈谈更远大的理想。

{ 烤羊肉串 }

羊腿肉、辣椒粉、孜然粉、五香粉、盐、食用油　※ 食材＆作料

※ 步骤

 1
— 把羊腿肉切成骰子大小的丁。

 2
— 用孜然粉、盐、油和五香粉将切好的肉丁腌制两三小时。

 3
— 用竹签将腌好的羊肉丁肥瘦相间地串好。

4
—

在烤炉上，一面烤熟了再翻面，忌来回翻腾。

5、
—

撒上孜然粉和辣椒粉。

6
—

一手执五到七串肉成扇面状，两边相互按压，让调料入味。

成品

　　入伏，开始进入一年当中最热的时间段。中国美食和节气、时令之间的关系太密切，全国各地，入伏讲究吃的食物，也丰富多彩，比如上海有"头伏馄饨二伏茶"的说法；杭州是"头伏的火腿，二伏的鸡，三伏来个金银蹄"，金银蹄指腌的蹄髈和鲜的蹄髈一起烧出来；到了北京，就会讲"头伏饺子二伏面，三伏烙饼摊鸡蛋"。这样相比较起来，物产富庶、经济发达的地方，人们的生活富足安逸，容易出知名菜系，比如天府之国的川菜、沿海广东的粤菜，等等。北方的内陆城市，突出的往往都是主食，兰州的牛肉拉面、西安的羊肉泡馍……所以，杭州人伏天里，有鸡有火腿又有金银蹄；北方人呢，以饺子为荣。饺子是永恒的主题，无论什么时令、什么节气——都是吃饺子。头伏吃饺子、出门吃饺子、过年吃饺子。饺子是伟大的发明，擀一张面皮，什么都可以包在里面。

头伏时节，和大家分享一些做饺子的基本方法。首先，面饧的时间越长越好。冷水和面，有时加个鸡蛋，但一定要加点盐，能够起面筋。面揉成面团之后，放在盆里并盖上屉布，让它饧。隔二十分钟，再揉一道，再饧。饧得越久，面的筋起得越多，面的弹性越大。

饺子馅的基本款是猪肉的，猪肉芹菜、猪肉茴香、猪肉韭菜、猪肉白菜……打馅儿，每个地方不一样，有的是打水馅，有的是打油馅。我自己包饺子，肉馅里放油也放水，顺着一个方向搅，让肉的鲜味能挂在一起。调料有盐、五香粉、花椒油、酱油，大量的白胡椒粉可以去掉肉的腥味，再放一点点料酒。馅料里如果是出水的菜，比如白菜，就用盐稍微"杀"一下，把菜汁挤掉，而茴香或者芹菜这种就不用"杀"水。

还有一个秘诀，馅料里的肉和菜要分着放，不能和在一块。等包的时候才和，而且包一份和一份，别和成一大盆。为什么？

如果菜早早地就进到肉馅里，盐一"杀"，菜就蔫了，而且会出水，馅儿就没那么新鲜好吃。要等到剂子做好准备擀皮时，才把两样和在一起，和完之后，尝尝咸淡味，我自己通常会舔一下来尝。

饺子皮不是擀出来，是抟出来的。一个皮就擀六下，擀完讲究中间厚、边上薄。像荷叶似的卷边来包饺子，可以包成元宝形的，也可以像我妈妈那样用挤的。煮饺子时，锅里水一定要多，此外水里放一点盐、滴几滴油，就不容易粘锅。搅饺子时，用笊篱背顺着一个方向搅。新包的鲜饺子，我建议点一次水，等再开锅，饺子漂起来之后，盖着盖煮馅，开着盖煮皮。等饺子全胀起来了，面粉的颜色已经很淡，就可以出锅了。

饺子是中华美食，带着美好的寓意。饺子一张皮，包罗万象，猪肉馅、虾馅、菜馅、鱼馅、羊肉馅、牛肉馅，各种各样的馅料都可以包在其中。一锅煮出来热气腾腾的，有着美好的兆头。我们是一个包容感很强，又非常重视团圆感、团聚感的民族，所以才会有饺子这样的美食产生。大家常常调侃说各个季节、各个节日都要吃饺子，我觉得挺好，其实如果不担心发胖的话，我可以每天都吃饺子。

{ 饺子 }

※ 食材 & 作料　高筋粉、鸡蛋、盐、油、五香粉、花椒油、酱油、料酒、白
胡椒粉、猪肉馅、芹菜或小茴香

※ 步骤

1

高筋粉加鸡蛋、盐，冷水和面，揉成面团后盖上屉布或者保鲜膜，饧得久面会更劲道。

2

猪肉馅里放油、水、盐、五香粉、花椒油、酱油、料酒、白胡椒粉，顺着一个方向打肉馅。

3

芹菜或小茴香不用事先"杀"水，但应该注意，包的时候再将肉和菜和在一起，包多少和多少。

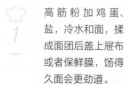

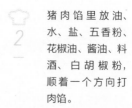

4

擀皮，将压好的剂子托着擀，一张皮擀六下，中间厚、四周薄。

5

馅放入饺子皮中，包成元宝状或者捏起来皆可。

6

煮饺子的水一定要多，新鲜饺子点一次冷水即可。

成品

大暑 ·

没有哪段路是白跑的

三色糕

大暑，是夏天最热的时候，也是放暑假的时候。

我觉得人生中最快乐的一个暑假就是高三的。高考结束了，第一志愿不能上就第二志愿，第二志愿不行就复读。高三这个暑假是最幸福的，没有暑假作业，将要迎来崭新的生活：步入大学、终于独立、不用每天回家住、父母不会每天都在身旁了……

而最难过的一个暑假，就是大学毕业的那个暑假。大学读完了，同学们要告别了，失恋了好些回了，没失恋的也在担忧着身边的女朋友是不是要离开自己了、男朋友是不是要远行了……这个暑假不是真正的假期，而是找工作的假期，是寻找出路、前途的一个假期。这个暑假后，是还看不清楚的未来。

当年我少年成名，要去读研究生时也是一样的迷茫。找不到戏拍、又觉得有些戏没劲不想拍，同时想到自己没戏拍，这么大了不赚钱，别的同学已经毕业了、有戏拍，而我还在读研究生，靠父母给生活费买饭票，顿觉痛苦。那时候，我也没有女朋友，会感到孤独，是一个相当郁闷的人生阶段。可能在青春时、刚刚从大学走出来时，每个人都会有这样的艰难吧。现在回想，觉得人一定要有坚定的斗志，不断地去努力，拥有自我实现的过程，否则这一生真是空洞而且短暂。

最炎热的时候，不要着急，让自己清凉一下，用食物犒劳忙碌于生活的自己，放松下来。大暑，和大家分享这一道特别容易做的小甜品"三色糕"。

首先准备浓一点的酸奶、鱼胶粉、山楂和苋菜，还有南瓜。苋菜煮完以后配上山楂是红色的。北京有一种老式小吃叫温脯，就是用红果冻做的，和这个类似。先用苋菜煮水，再用这个水煮去掉核的山楂，放入鱼胶粉，倒入搅拌机打成泥状后，放入冷水中降温凝固；将酸奶加热后也加入一点鱼胶粉，浇在山楂泥那一层之上，轧平整后放在冷水里继续冷却；南瓜切碎后在开水中煮软，倒入搅拌机打碎成泥状，放入鱼胶粉使之凝固，盛在之前的容器中，这样就有一层红色、一层白色、一层黄色。三层全部凝固之后，放在冰箱冷藏，取出后倒扣过来，切成小块便可食用。这个小甜品，在夏天里做给大人、孩子吃，都会很受欢迎。

我很喜欢和大家交流一些食材的使用，分享食物的做法，其实你想怎样吃都可以。你可以吃得忙忙碌碌，在街上来个煎饼馃子，但即便你买了个煎饼馃子，也要细嚼慢咽，善待自己。吃速食、最简单的东西，也要认真地对待。

我总在说"一食一餐"，涵义大概就是要好好地吃饭、认真地吃饭，用心对待自己的生活。饮食和生活中所有的事情一样，需要你投入真实的情感和心思。生活中的每一件小事都认真地完成，是一个特别好的态度。年轻人应是如此，有这样的心思，会让你知道做事情的时候要一点一滴、细致入微。

在夏天这个毕业季里，我感受到，其实每个人成长的过程都一样。我常和身边的朋友们说"自己也算是个很努力的人"，我在用功、不惜力，愿意去多学、多闻、多思，知恩报恩，今年（2016）45岁，我依然还在不断地创作，做戏剧节、导演电影、拍电视剧、经营黄小厨。我觉得挺开心，可以把很多工作变成自己生活的一部分。开心地工作是高情商的一种体现。

在苦夏，和大家聊了一些心灵的鸡汤，凉润内心，其实我想说的是 —— 没有哪段路是白跑的，即便你跑错了方向，起码还强健了你的双腿。

{ 三色糕 }

※ 食材 & 作料　酸奶、南瓜、苋菜、山楂、鱼胶粉

※ 步骤

 1　先用苋菜（也叫玉米菜）煮水。

 2　山楂去核后倒入苋菜水中。

 3　山楂打成泥后放入鱼胶粉。

4

倒入容器中，在凉水中降温凝固。

5

酸奶加热后倒入鱼胶粉，浇在山楂上一层。

6

南瓜切块打碎成泥，加入鱼胶粉凝固，浇在容器最上层。

7

三层全部凝固后放入冰箱冷藏，取出后切成果冻似的小块。

成品

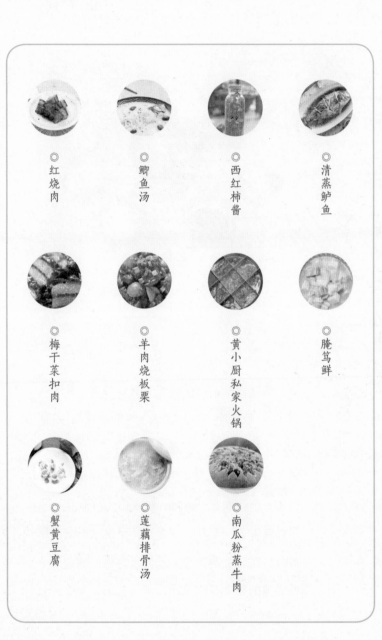

◎ 红烧肉

◎ 鲫鱼汤

◎ 西红柿酱

◎ 清蒸鲈鱼

◎ 梅干菜扣肉

◎ 羊肉烧板栗

◎ 黄小厨私家火锅

◎ 腌笃鲜

◎ 蟹黄豆腐

◎ 莲藕排骨汤

◎ 南瓜粉蒸牛肉

立秋 ·

在冬天到来之前吃胖一点

红烧肉

　　落叶知秋，当梧桐树叶开始飘落，秋天就到了。"秋"字，一个"禾"一个"火"，所谓"禾"，庄稼，而火，是说成熟。"禾火"季节，稻子等农作物进入成熟时期，等待收获。秋天也是一个让人容易感慨、触景伤怀的季节——徐志摩说，一个秋，一颗心，愁是秋天里面那颗心。在这个季节交替的时候，热烈的、充满着热情的夏季要结束了，步入秋天，人会有一点点伤感。

　　北京的秋天是一年当中最美丽的季节，秋

高气爽。南方的秋天也很美好，许多食物应时而生，菊黄蟹肥，成熟的葡萄等待被酿成酒……立秋之时，一切都是金黄的，还没有到深秋的萧瑟，有时还会来一波"秋老虎"。这个季节，我们家常常会吃一道菜，红烧肉，或者炖肉。爸妈会说："炖锅肉，咱们贴贴秋膘。"大概是那时候北方的冬天取暖设施不够好，在冬天到来之前吃胖一点，就不怕冷，能扛冻了。

北方的炖肉，一定用五花三层猪肉，切小块先汆水，去掉腥味后，加老抽、生抽，以及八角、桂皮、香叶、肉蔻、草果等香料炒过后，放开水进去炖，出锅带点汤。而我做来贴秋膘的红烧肉是另一种做法，需要一块老姜、一坛黄酒，还有酱油、盐、冰糖等几样东西。

红烧肉切成比麻将还大一点的块儿，肉块大了才糯。生的肉块，不汆水，直接烧一锅油来煸炒。这样可以去掉一部分油，另外使肉的形状收紧，不会散掉。肉块煸炒到微微焦黄便可盛出备用。

关键的一步，煮开那一坛黄酒，不掺一滴水，将备用的大块五花肉放进酒里，将整块姜拿刀背拍裂、拍松后侧面切，放入两块。用盐、酱油调出咸味来，肉要稍微偏咸一点。大火烧开后转小火，盖上盖，慢火炖一个小时后，加入一大块冰糖，冰糖化了再炖上十分钟，开大火不断地翻，这时汁已经变得比较少了，收汤汁，收到最后起了糖色，这时盛出肉，肉皮朝上，一块一块地摆好，四块一小碟——正宗的本帮红烧肉。

　　上海有家非常有名的餐厅叫老吉士，擅做墨鱼烧肉。把墨鱼买回来洗干净，开水焯过以后跟肉一起炖。鱼和肉的鲜味会彼此促进，另加一样白水煮鸡蛋。煮鸡蛋时，一定要不断地用筷子或者勺轻轻地拨弄，让鸡蛋在开水里滚动时，蛋黄保持在中间。剥开后的鸡蛋，用刀划上几个口，和墨鱼、红烧肉一起在黄酒里面炖，这样鸡蛋也会吸满肉和墨鱼的味道。红烧肉、煮蛋、墨鱼，还有个绝配的朋友，就是大米饭。

　　以前物质没有那么丰富，红烧肉算是个高级菜，能吃一大锅肉是非常棒的事。现在虽然大家都要减肥，不需要贴秋膘了，但是在这个季节里，一锅炖肉配大米饭，再炒两个绿叶菜，又简单又有营养，小朋友最喜欢吃。我很喜欢给多多和妹妹做红烧肉，一家人在一起炖个肉，吃个白饭，踏踏实实、安安稳稳地进入美好的秋天。

{ 红烧肉 }

五花肉、老姜、黄酒、酱油、盐、冰糖、食用油　※ 食材 & 作料

※ 步骤

1 — 将五花肉切成麻将牌大小。

2 — 用油煸炒五花肉，走油且收紧肉块形状，炒至焦黄取出备用。

3 — 用锅煮开一坛黄酒，加入肉块，放进两块横着切开的老姜。

4

用盐和酱油调味。

5

大火烧开，小火慢炖，一个小时后放入冰糖，冰糖化了之后再炖十分钟。

6

开大火，不断翻搅收汁。

成品

阴历的七月初七，牛郎织女天桥会，象征着美好的爱情，成为中国今天的情人节。其实牛郎和织女的爱情并没有那么美好，两个人遥远分隔，一年碰一面。这在古代是一个凄美的、哀婉的故事。但现在七夕节，成为情人欢聚、夫妻团聚、恋人相聚的美好节日。

我和孙莉1995年开始恋爱，到今年（2016）是21年。在这21年当中，我们俩一起吃过无数顿饭，她印象最深的应该是有一次家里什么也没有，只有面条，我给她做了一个拌面。她吃完之后，一抹嘴说："老公，以后我每天来一碗这个。"孙莉不会做饭，厨房是我的，我不会让她去做饭，因为她做饭之后会夺去我对厨房的主权，所以，我觉得她一辈子都不用学做饭，我会就行了。

说到爱情，特别想和大家分享一道我擅长的菜 —— 鲫鱼汤。说起鲫鱼汤，大家总会想起这是帮助"下奶"的食物，其实对于不在孕产期的女孩，鲫鱼汤也是美容的首选。它有滋阴效果，而且富含维生素、蛋白质，还很补钙。做鲫鱼汤最重要的一步是煎鱼。鱼收拾干净之后，用厨房纸把它的水蘸干净，在鱼身上切几个花刀，剖开一点点。煎鱼时尽量煎透，待两面金黄后倒开水没过鱼，放姜片。大火烧开后小火熬制。鲫鱼汤熬好后可以放香菜和白胡椒粉，滴几滴醋，喝的时候就会非常鲜。还有一种做法是白萝卜鲫鱼汤，把白萝卜切成丝，用开水焯过后，放进熬好的汤里。

做鲫鱼汤，煎鱼的要诀是油温一定要高，鱼一定要干，鱼下锅后不要碰它，高油温能使鱼皮和蛋白质不分离，煎透后锅轻轻一晃，鱼身自然地离开锅，再翻面煎。鱼煎得越透，汤会越浓白。

如果你的太太生了小孩，给她做鲫鱼汤喝，剩下汤里的鱼肉你加点酱油、醋，放大量葱，把它焖成酥鱼，就可以自己吃。

在孙莉生了多多和妹妹之后，我就是这样一点点吃胖起来的。

和孙莉在一起的第二十一年，是个新的开端，我把它当作第一年，全新的一年。两个人在一起，彼此相守，带给对方平稳的生活，这是很基础的一件事情。无论是恋爱中的情侣，还是要步入婚姻殿堂或者那些在婚姻中已经共度很多年的夫妻，不仅在节日里，即使是普通的日常中，为对方准备一份礼物，做一顿饭，也是很重要的事情。

两个人在一起，就像做这道鲫鱼汤一样，步骤看似简单，但需要用心将每一个环节做好，一碗浓汤代表的就是一种责任。每一餐饭，用心用情去完成，两个人相处亦是付出真心真情，不断地去消化觉得对方不好的地方，也不断地去发现在一起时美好的东西。此外，两个人在一起也不仅仅是谈恋爱。一对爱人，一生将要共同做的最多的两件事情：一起吃饭、一起睡觉。两个人在漫长的人生中想建立一致的价值观，需要不断地跟对方有交流，不断地一起提升，一起慢慢地将情感经营得越来越好。七夕情人节，希望大家不光恋爱好，也胃口好。

{ 鲫 鱼 汤 }

※ 食材 & 作料 鲫鱼、白萝卜、食用油、酱油、醋、葱、白胡椒粉

※ 步骤

 1

将处理好的鲫鱼用厨房纸擦干，在鱼身上切几个花刀。

 2

高温煎炸鲫鱼，一面炸透再翻面。

 3

煎炸好鱼后，在锅中倒入开水。

4
—

大火煮开，小火慢熬。

5
—

将切丝的白萝卜焯水后，撒入将要出锅的鱼汤中。

6
—

煮汤后的鲫鱼可以加酱油、醋、白胡椒粉和葱，焖烧成酥鱼。

成品

处暑

忙碌着，为冬天贮存惊喜

西红柿酱

　　处暑，也是出暑，大自然彻底褪去了暑气，告别了最炎热的季节，开始要步入初秋了。从处暑节气开始，人们可以明显感觉到寒意。秋收基本完成，所有农作物开始储藏起来，所谓"秋收冬藏"。大自然出暑了，每个人也脱掉了一身的暑气，会在每日早晚时，披上一件外套。我觉得整个二十四节气中，处暑前后是转化感、变化感最强烈的时节，暑气慢慢褪掉的时候，人的身体摆脱掉一整个暑天的沉重，回到清爽的状态。

在饮食上，也进入一个丰沛的时节。我们的童年记忆中，这是一个五颜六色的季节，紫色的茄子、红色的西红柿……还有各种各样富含维生素和水分的瓜果梨桃。

在这个季节，人们会用秋收丰沛的食物来为冬天做储备。在北方，每一样菜都是按照时令来的。不像今天物流如此发达，有大棚温室的养殖技术。过去北方冬天的蔬菜，就只有土豆、大白菜。所以出暑的时节，做西红柿酱，是每个北京的家庭，或者北方家庭，都会忙碌张罗的事情。

西红柿搓堆卖，几分钱一斤，每一家都会买许多西红柿回来，洗干净。做西红柿酱，首先得有瓶子，这瓶子可厉害了，不是一般的瓶子。密封性最好的就是医院的点滴瓶，装葡萄糖或者生理盐水的。谁要是认识医院的人能弄到这种瓶子，就都收藏起来，攒上几十个，这时候拿出来。先要煮瓶子杀菌。煮好瓶子，把西红柿烫了去皮，切碎后往瓶子里塞。一家人围在一块，拿筷子塞，要塞得尽量满，一点空气都不能留，再用橡胶塞子封住，确保瓶子里面完全是密闭的、无氧的。随后每家都是这样的场景：地上摆着一排一排的西红柿酱。

做西红柿酱，仿佛是一个仪式，是进入秋天的仪式，也是等待冬天到来的仪式，是一个储存的仪式，它将很多美好感受和食材结合在一起，储存到记忆中。等到了冬天，除了大白菜、土豆以外，家里突然做一顿西红柿酱拌的面条，或者是熬白菜时里边放点西红柿酱，把白菜变成酸甜口味，简直是一件奇妙的事情，仿佛真的就把夏天的记忆带进了冬天，把那份美丽的粉红色带到了寒冷的、白色的冬季。这是在物质没有那么丰裕的时代，人们创造的一种怀念、一种寄托，还有一种向往。

四季更迭，不同的食物带给人们不同的感受，不同的对储藏的理解。我们小时候，在一个季节突然吃到了另外一个季节的食物，会觉得是一种上天的恩赐。现在回想起来，这是父辈的生活智慧。爸爸妈妈带着我们一起，把那些跟我们日常关联最多的食材，一点点地保存至不同的季节，让我们童年的记忆中充满惊喜，在另外一个季节收获惊喜。

现在的家庭没有西红柿酱了，我们可以随时在家门口的超市或者菜场，买到新鲜的西红柿。但是我想那瓶西红柿酱会留在每一个我这般年纪、在北方长大的人的心里。我们的小孩，可以吃到更多更丰富的食物，对季节变化没那么强烈的感受，但是我们依然会想办法让他们感受到时令，尽量回到家里，跟孩子一起分享美食，分享家的味道。如果有一天他们前行，我想最好的礼物，就是家带给他们对美食的美好记忆。他们会一直记得成长过程中，和父亲母亲一起吃过的那一餐一餐的饭。

{ 西红柿酱 }

西红柿　※ 食材 & 作料

※ 步骤

 1 玻璃瓶洗干净后，高温蒸煮，灭菌。

 2 西红柿在开水中烫过后去皮。

 3 将西红柿切碎。

4

将切碎后的西红柿
装入瓶子中。

5

用筷子把西红柿塞
满在瓶子里，尽量
不要留空气。

6

将装好西红柿的瓶
子上锅蒸。

7

用木塞将西红柿酱
瓶子封住。

成品

清蒸鲈鱼

人的一生，会经历很多种感情，亲情、友情、爱情。除此之外，每个人的生命中都会经历一份十分独特的感情 —— 师生情。此时，你会想起自己的哪位老师呢？这位老师对你的成长又有怎样的影响？相信每个人都有一份特别的回忆。

在读大学之前，我对老师主要的情感是"怕"，觉得老师就是总要考你的人。那时我的一位姓杜的老师在家访的时候，对我爸妈说："黄磊这个孩子，将来要么很有出息，要么就是害群之马。"因为我小时候特别调皮，在学校的时候永远在折腾、在闹。怎么也没有想到，我自己后来也成为了老师，在大学教书教了快 20 年。命运很奇妙，它让我成为了一个原本我自己最害怕的人。

随着时代的发展，学生和老师之间的关系发生了很大的变化。我们小时候，老师与学生的关系，威严有余而活泼不足。学生见了那些特别厉害的老师，小心脏怦怦直跳，要是赶上迟到，就更惨了。现在时代不同了，师生关系从上下级变成了平级，学生们有事儿没事儿给老师吐个槽、起个外号，很融洽。要说我是如何成为一名受学生喜爱的老师的呢？我的秘诀就是——瞎教！所谓的"瞎"，可不是盲目。正所谓"授人以鱼，不如授人以渔"，教给学生正确的学习方法，比什么都重要。

在教师节，我要为我的恩师齐老师做一道菜，因为他特别爱吃鱼。吃鱼对老人家身体好处很多，所以做一道清蒸鲈鱼，用老师教授我的"渔"，回馈他老人家一条"鱼"。

外形上，海鲈鱼最明显的"标志"就是鱼背上有很多的黑色圆点。河鲈鱼一般都是活的，买的时候可以请店家代为处理，而海鲈鱼则以冰鲜的为多。从食用时的口感上来讲，海鲈鱼的肉质比较柴，而且因为是海鱼，显得腥味较重，而河鲈鱼的肉类似"蒜瓣肉"，蒸好后比较容易散开，但肉质有弹性，肉味淡甜鲜香，比较适口，另外这种鱼鱼刺比较少，中间只有一根主刺。

将河鲈鱼洗净，擦干水分，从背部开一刀（通常在两侧划斜刀的切法，一是破坏了鱼肉的完整，二是会使鱼肉熟度不够均匀）。在鲈鱼中调入料酒、姜丝和大葱丝，拌匀，腌制 10 分钟去腥味，但是不要放盐，盐是强电解质，会让蛋白质凝固，鱼肉会变老、变硬，本身的鲜味也不易释放。姜去皮，同大葱白、香葱、红彩椒一同切成细丝，放入冷水中浸泡。将姜片、大葱段放入鲈鱼肚子中，便于蒸的过程中进一步去除腥味。在盘子中放入 2~3 段较长的大葱段，再将鲈鱼放在大葱段上，将鲈鱼架起，这样便于反面的鱼肉充分和蒸汽接触，也不会让鱼肉浸泡在蒸制时析出的腥味汤汁中。蒸锅烧沸，放入鲈鱼蒸约 10 分钟，随后取出，滗除盘中的汤汁，拣出大葱段和姜片。

将蒸鱼豉油放入锅中烧热，淋入盘中，鱼的鲜香会被激发，特别有助于入味。再将混合的葱丝放到鱼身上，将花生油和麻油倒入锅中烧热淋在葱丝上即可。

为什么说师生情是一个人成长过程中最难忘的一段感情呢？因为老师所做的一切，都是为了让学生们能够学会知识，学会做人。但我们在学生阶段很多时候无法理解老师的所做所为，甚至会对老师有些怨恨，直到我们长大了，思想成熟了，才慢慢理解了老师当年的良苦用心。在教师节，愿我们都能常念恩师，常念师恩。什么才是教师节给老师最好的礼物呢？就是所有的学生都能够学有所得、学有所成，甚至能够超越老师，取得更好的成绩。这对于我们做老师的来说，就是最棒的教师节礼物。

{ 清蒸鲈鱼 }

河鲈鱼、蒸鱼豉油、大葱白、姜、香葱、花生油、麻油 ※ 食材＆作料

※ 步骤

1

河鲈鱼洗净，擦干水分，从背部开一刀。

2

在鲈鱼上调入料酒。

3

将姜片、大葱段放入鲈鱼肚子中，腌制10分钟去腥味。

 4
—

在盘子中放入 2~3 段较长的大葱段，再将鲈鱼放在大葱段上架起。蒸锅烧沸，放入鲈鱼，蒸约 10 分钟。

 5
—

将蒸鱼豉油放入锅中烧热，淋入盘中。

 6
—

再将混合的葱丝放入鱼身上。

 7
—

将花生油和麻油倒入锅中烧热，淋在葱丝上。

 成品

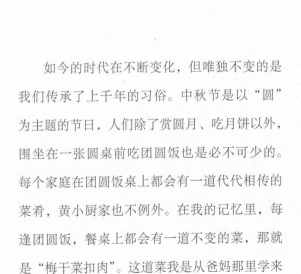

　　如今的时代在不断变化，但唯独不变的是我们传承了上千年的习俗。中秋节是以"圆"为主题的节日，人们除了赏圆月、吃月饼以外，围坐在一张圆桌前吃团圆饭也是必不可少的。每个家庭在团圆饭桌上都会有一道代代相传的菜肴，黄小厨家也不例外。在我的记忆里，每逢团圆饭，餐桌上都会有一道不变的菜，那就是"梅干菜扣肉"。这道菜我是从爸妈那里学来的，也是我从小吃到大的菜。

　　关于梅干菜扣肉，有很多故事。大名鼎鼎

的文豪苏东坡，也是一个地地道道的"吃货"，他喜欢创新美食。相传苏东坡被贬谪到广东惠州之后，很想念在浙江的生活和饮食，便派了两位厨师，从惠州跑去浙江学习厨艺。两个厨师学完归来后，他让厨师把惠州当地的特色——腌制过的梅干菜加入到东坡肉当中。从此，一道让无数吃货竞折腰的梅干菜扣肉就诞生了。

梅干菜在不同的地方做法也是不同的，广东惠州客家的梅干菜用芥菜心制作，浙江绍兴一带是用雪里蕻制作，我妈妈的老家湖南株洲是用白菜薹和青头菜来制作梅干菜。湖南的梅干菜呈红褐色，并且除了本身的菜干香还会有酸爽的口感。我小的时候，外婆也自己做梅干菜，我妈妈每年回株洲老家的时候都会把外婆做好的梅干菜带回北京。记忆中，每当吃到满含外婆牵挂的梅干菜做成的梅干菜扣肉，就是最幸福的时刻。而随着慢慢长大，我也学会了这道外婆独家秘方制作出来的"梅干菜扣肉"。

做梅干菜扣肉前先用淘米水将梅干菜泡一泡，洗干净，切碎，因为梅干菜在腌制过后带有很多盐和尘土，用淘米水来洗梅干菜，多洗几遍，会让梅干菜变得清亮。起锅放点油，把梅干菜倒入锅中翻炒，放点酱油、料酒和糖，炒完把梅干菜连汤汁儿一起盛出来备用。其实，炒完的梅干菜本身就可以当小菜吃了。五花肉先用清水焯一下，放入大葱和姜片去腥味，焯过水之后，捞出来放在一边晾凉，然后用厨房纸巾把水吸干。建议大家挑选薄一点、平坦一点的五花肉，因为煮完之后的五花肉会膨胀，如果肉太厚，煮完之后会变得特别油腻。肉需要煮到八成熟。在煮好的五花肉上涂上生抽、老抽、少量的盐、胡椒粉，以及黄小厨的秘诀调味品蜂蜜，这样就可以使煎后的五花肉颜色更加红润，味道也会更加香甜。重起锅放油，放入五花肉煎。煎的时候要将肉皮朝下慢慢地煎，要等肉皮有了凹凸感之后再盛出来，此时溅油会比较厉害，大家一定要戴上手套。将盛出后晾凉的肉根据纹理切成厚片，不要切太薄，半公分左右，这样肉吃起来会比较酥。把片完的五花肉放在碗里，肉皮朝下肉朝上，再把炒好的梅干菜连菜带汁儿一起倒在五花肉的上面。装盘之后放在蒸笼里蒸一个半小时左右。

梅干菜扣肉是一道看着就很能勾起食欲的下饭菜，只要端上桌，就会让家里的每个人忍不住夹上一筷子放到米饭上大吃一口。我做梅干菜扣肉的这个方法是从父母那里学来的，但遗憾的是缺少了外婆家里自制的梅干菜，所以做出来的味道和记忆中的还是有差别的。

如今的时代，尤其在北上广这样的一线城市，大多数人是离家漂泊在外的，思念最深的还是家里的味道，尤其像中秋这

样团圆的节日，会让人更加想念家乡，想念家人。每一个家庭
都有属于自己代代相传的独特味道，而正因为如此，每逢团圆
的日子，那份代代相传的味道，和着远方亲人的牵挂，才可以
抚慰我们在异乡奋斗的游子的心。

{梅干菜扣肉}

五花肉、梅干菜、大葱、姜片、酱油、
生抽、老抽、料酒、糖、盐、食用油、
胡椒粉、蜂蜜

※ 步骤

 1
五花肉先用清水焯
一下，放入大葱和
姜片去腥味，焯过
水之后，捞出来晾
凉。在五花肉上涂
上生抽、老抽、少
量的盐、胡椒粉、
蜂蜜。

 2
起锅放油，放入腌
好的五花肉，煎到
肉皮起泡。

 3 把切碎的梅干菜倒入油中翻炒，放点生抽、老抽、料酒和糖。

 4 盛出后晾凉，根据五花肉的纹理切成厚片。

 5 把炒好的梅干菜倒在切好的五花肉上面，在蒸笼里蒸一个半小时左右。出锅后将碗中的肉倒扣在盘中，使肉皮朝上。

 成品

金黄色的秋天，总是给我们无限的想象空间，秋分的到来，预示着过去一年辛勤的劳作终于结出了丰收的果实。秋分时节，人们手边有许多必不可少的应季食材。老话说"白露秋分夜，一夜冷一夜"，秋分之前人体通常以温燥为主，秋分一过就开始进入深秋，这时候容易出现凉燥。因此，秋分时节的保养一定要注意滋阴润燥，栗子就是这段时间一种非常好的食材。

清朝时流传一个神奇的故事：据说有一个

叫武周的人得了一种怪病，腿脚软弱无力，走不了路，吃了很多的药也没什么用。有一天，他在栗子树下玩，看着栗子觉得有趣，就剥了壳吃，味道特别甜，便吃了好多栗子，结果竟然就能走路了。

栗子在北方以板栗为主，南方主要是锥栗。板栗体形比较丰满，一面是扁平的，另一面是隆起的，口感比较面，吃着顶饥。锥栗看着像锥子，口感偏甜。栗子有很多种吃法，糖炒、生吃都行，也可以跟很多种食材搭配来做菜。在栗子众多的吃法里，有一种吃法是营养搭配极佳的选择，特别适合秋分的时候吃 —— 羊肉烧板栗。

先将板栗水煮后去皮，经过水煮后的栗子很容易去皮，同时水煮的这个过程也可以让栗子吸收水分扩张，有利于之后和羊肉烧在一起时吸收更多的肉味，让栗子在保有自身味道的同时多一些层次。羊肉切块后加葱、姜，用温水焯。这道菜里，羊肉可以选择带骨的羊排，也可以选羊腿肉。羊腿肉肉质更松软，比较适合老人吃，而羊排口感劲道，适合年轻人食用。大葱切段，姜切片，准备八角和香叶，水性调料则包括一勺老抽、两勺生抽、一勺料酒，固体调料则包括一勺糖和适量盐。焯好水的羊肉撇去浮沫，与葱姜、调料一同下锅搅拌均匀，加入高汤，盖锅盖，大火烧开。炖约 30 分钟至肉烂，加入蚝油，作为羊肉炒制出的汤汁与栗子原味的催化剂，使这两种味道形成最完美的搭配。

秋天，也迎来了"黄小厨"这个品牌的生日。烧菜做饭原本是我的一个个人爱好，慢慢地，希望可以将自己在做饭过程中积累的感受与更多的人分享，就有了创立"黄小厨"这个品牌的初衷。最初将爱好变成事业确实会遇到很多问题，但慢慢走来，也有了很多收获，就如同今天做的这道菜里的栗子，从落地带毛刺的奇怪样子到最终成为果实，成了人们餐桌上一道美味的菜肴，就仿佛是自己的一个成长过程。

无论处于人生的什么阶段，你接受那个时期的自己，他就是最好的。像我自己，从年轻时到现在，从小鲜肉变成了发福的大叔，顺其自然地接受每个时期的自己，因为正是有了每一个不同时期的自己，才会最终成为今天的你。这就是成长。我也经常鼓励身边的年轻人，去做喜欢做、想做的事情，这其中也许会经历很多失败和沮丧，但只要坚持自己的初衷，不论遇到多大的困难，最终都会有收获。

{ 羊 肉 烧 板 栗 }

※ 食材 & 作料

带骨羊排、板栗、胡萝卜、葱、姜、盐、
糖、八角、香叶、酱油、蚝油、食用油

※ 步骤

1

羊肉切块后加葱、
姜，用温水焯。

2

焯过水的羊肉与
葱、姜、八角、香
叶一同下锅炒制。

3
加入高汤、板栗、切块的胡萝卜，盖锅盖大火烧开。

4
小火炖约 30 分钟至肉烂。

5
最后加入蚝油，大火收汁。

成品

国庆节

·

在家吃火锅

　　到了国庆长假，家人、朋友总会在一起聚聚。聚会吃什么？一般的终极解决方案都是吃火锅。火锅是拯救所有人于选择障碍症中的英雄。一口锅，三四个小菜，五六盘肉，七八个朋友。火一点，热气一冒，香气一散，还没开吃呢，光看着、闻着就已经开始嗨了。

　　聚餐吃火锅算是个传统。清朝乾隆年间，乾隆爷就办过530桌的火锅宴，他儿子嘉庆皇帝也办过火锅宴，1550桌，那时候不流行吉尼斯世界纪录，否则这些火锅宴想必也是榜上有名。

吃火锅是件热热闹闹的事，满满一桌的食材，不同口味的锅底，朋友们或同事们围坐一起，再忙再累，一顿火锅打气，吃完能量条满格，元气十足。

火锅只是一个宽泛的概念。支一口锅，加料加汤，涮菜，如此形式的都可以叫火锅。北京的铜锅涮肉，原汁原味，本色扎实，像是老夫老妻过日子；潮汕的牛肉火锅，讲究牛肉吃起来轻、嫩，而Q弹的牛肉丸，仿佛一段校园爱情，活力十足又透着本真；重庆的麻辣火锅，热情奔放，挑逗着你的视觉、嗅觉、味觉，最像热恋，越刺激越喜欢，明明刚刚吃过，转身又开始想念它的滋味。

我太太爱吃麻辣火锅，这成为我在家钻研怎么做麻辣火锅的动力。

首先，选用八角、桂皮、小茴香、草果、紫草、香叶、香草、公丁香、砂仁、干姜、花椒，将所有这些香料用热水浸泡10分钟，这样处理可以使香料的香气得到最大发挥。然后将它们沥干待用。如果你手边没有这么齐全的香料，一定要保证有八角、桂皮、香叶、花椒。我通常会选不止一种辣椒。尖尖小小的朝天椒是最辣的，胖胖的灯笼椒提香，皱巴巴的叫二荆条，是比较香而且可以让红油汤色更鲜亮的一种辣椒。这是我自己得意的一个私家配方，让私家火锅辣得与众不同。

　　烧一锅水，把这些辣椒放进去煮一两分钟捞出，切段，这样可以在炒制过程中让辣味更好地渗入油里。炒底料时，用温热的豆油加牛油化开。牛油是重庆火锅中一味少不了的原料，它可以把所有香料的味道融合得更醇厚。郫县豆瓣酱、干豆豉、切好的辣椒，小火下油锅。炒底料的时候一定要小火，因为一点点的焦糊就会让火锅吃起来发苦。等到油变红，下锅的调料也被炒得干干的时候，加入葱、姜和刚刚沥干的香料，继续小火慢慢熬炒十几分钟。等所有的调料都变得干干的时候，再倒进高汤，把九宫格的架子支好。

　　吃麻辣火锅，我推荐蒜泥加入香油的小料。锅料齐备，涮一片毛肚，七上八下，毛肚脆、爽、香。在我看来，火锅就是个大肚子，天上飞的、地上长（跑）的、水中游（爬）的，荤的素的，都能往火锅里招呼。每个人都可以把自己爱吃的涮进火锅里，众口难调这个难题就这样被一口锅搞定了。

　　以前古人写信常是：某某某，见字如晤。它说明朋友之间需要见面，常常聚在一起。现在有朋友圈、微信、各种群，大家好像联系很多，但坐在一个桌子上，一起吃顿火锅，有面对面的交流，感觉是不一样的。朋友们围坐一桌，火锅一开，汤里的调料随着油温的升高不断翻滚，沸腾上扬的温暖带着香辣气味四散开来，火锅一直热乎着，朋友们一起热闹着。这样一顿火锅吃下来，人吃得身上暖洋洋的，心里更是喜洋洋的。感情是要靠联络的，聚会吃饭是一种方式，选择吃火锅更是功效加倍。

　　火锅的热辣鲜香满足了口腹，独特的治愈功效抚慰了情绪，好像没有什么是一顿火锅解决不了的。一顿不行，咱整两顿。

{ 黄 小 厨 私 家 火 锅 }

※ 食材＆作料

八角、桂皮、小茴香、草果、紫草、香
叶、香草、公丁香、砂仁、干姜、花椒、
食用油、牛油、辣椒（三种）、郫县豆
瓣酱、干豆豉

※ 步骤

1
将所有准备好的香
料用热水浸泡 10
分钟。

2
将葱、姜、沥干的
香料小火慢慢熬炒
十几分钟。

3 —

将郫县豆瓣酱、干豆豉、切好的辣椒，下油锅小火炒制。

4 —

在炒制的香料里加入牛油。

5 —

最后在锅里加入高汤。

成品

重阳节 · **小火慢炖出来的味道**

腌笃鲜

　　小时候的记忆，因为许多细节才得以清晰留存，味道就是其中之一。快到九月九重阳节时，我不禁想起了自己的父亲。父亲曾说他小时候最爱的菜是腌笃鲜，于是也常常做给我吃，所以我对腌笃鲜的味道记忆非常深刻。

　　记得每年秋天，天有点微微凉时，父亲就会去农贸市场买一块五花肉回来，制成腌肉。等到冬天，父亲就会兴奋地买回冬笋，为家人制作美味的腌笃鲜。即便是现在，只要一尝到腌笃鲜，我就能马上回忆起小时候与父亲在一起的点点滴滴，想起父亲长久以来的陪伴。因此，同样身为父亲的我，深知父亲对孩子陪伴的重要性，也希望能够时时刻刻陪伴在女儿的身边。和孩子在一起的时光总是有很多乐趣。

多多遗传了我的厨艺，做起美食来也是有模有样。妹妹特别爱吃，于是我逗她说长大后当一个美食评论家。妹妹问那是什么，多多回答说："就是长大以后去工作，每天吃好多好多好东西，然后再告诉别人。"妹妹叹了口气，奶声奶气地说："哎呀，我怎么还不长大呀……"还有一些时候，我准备出门，妹妹说要"开火车"，我就陪她开三分钟火车。不管再怎么着急出门，这三分钟我都会给她。这些点点滴滴，都是我陪伴她们一点点长大的见证，是甜蜜的回忆。

也的确是因为父亲对孩子的陪伴，使得腌笃鲜这道菜对我而言意义非凡。腌笃鲜，顾名思义，就是用腌的去炖鲜的，腌的有咸肉，还有很多地方用金华火腿或宣威火腿；鲜的有笋和新鲜的五花肉，还有放猪蹄或肘子。之所以叫腌笃鲜，其实是因为左宗棠，他是湖南人，他的口音将"腌炖鲜"读成了"腌笃鲜"。现在，腌笃鲜是上海坊间的名菜。制作腌笃鲜的食材中，咸肉需选择上好的五花肉进行腌制，风干入味，腌制时间最好超过一个月。秋天和冬天最适合腌制咸肉，再经过阳光的晒制，风味会很好。但到了初夏，随着气温上升，氧化过度，肉便开始有异味，需要赶在初夏之前吃完。腌肉、猪蹄、百叶结，腌笃鲜里食材种类不在多，在于能出味。笋则因季节而异，春笋、冬笋都可以，我的习惯是首选冬笋，或者还没冒出土的毛笋，俗称"黄泥拱"。这道菜特别简单，就是看火候，让笋和咸肉的味道融合在一起，旺火烧开，小火慢炖。腌笃鲜中的"笃"字也是源于文火慢炖时锅盖"咕嘟咕嘟"的声音。小火炖的时间是要严格掌握的，并非越久越好。最美好的程度是肉质略烂却又有嚼劲，笋块则鲜嫩脆爽，回味甘甜。最终炖出来的汤应该是如象牙色的净白，汤色纯正不含杂质，喝下去有浓厚悠长的肉汤味道。

除了味道能够勾起我儿时的回忆，这道菜包含的哲学其实就是对父爱最好的诠释。腌肉好比父亲，阅历丰富，成熟且老练；鲜肉和鲜笋就好比孩子，年幼、鲜嫩、柔软。而那一个"笃"字，代表的是笃定一生、一心一意。文火的长时间炖制，就像父亲长久以来对孩子的陪伴，很沉默，不热烈也不声张，温和持续。腌肉的盐分与精华逐渐融化入汤中，使鲜肉获得了腌肉的咸香味道，就好比我的父亲将自己的艺术气息传递给我，从而成就了现在的我。现在我也是孩子们的父亲，也变成了"腊肉"，我愿意将自己最好的爱小火慢炖般地传递给自己的孩子，陪伴她们慢慢长大。

{ 腌笃鲜 }

五花肉、冬笋、咸肉、百叶结、花椒、
盐、白酒

将一大块新鲜的五
花肉剁成手掌宽的
肉条，用刀子在
五花肉的表面划
几刀。

将花椒、盐和白酒
均匀地涂抹在五花
肉上，轻轻按摩几
下，用麻绳串起
来，挂在阴凉的地
方风干。

3
—

把买来的冬笋去皮，然后切成笋块。

4
—

等水烧开后，先加入风干的咸肉块和新鲜的五花肉块小火炖煮。

5
—

之后再加入冬笋块和百叶结。

成品

现如今，很多食物都打破了应季而食的规律。人们在冬天的超市里可以看到各种各样的反季节食材，生活看似更加便捷，实则是一种破坏，破坏的不仅是食材顺应天时的生长周期，更是人们传承上千年、顺应季节的饮食规律。

提到应季而食，在秋天就不能不提一味珍馐——蟹！我国从古至今不乏喜欢大闸蟹的名人，据说李渔一顿可吃掉二三十个大闸蟹。这种吃法甚至给他造成了经济压力，一到夏天，他就开始攒钱，这笔钱是专门用来秋天买螃蟹的，被他称为"救命钱"。后人能与李渔比肩的，可能就是画家徐悲鸿了，徐悲鸿说过"鱼是我的命，蟹是我的冤家，见了冤家不要命"，可见徐老对大闸蟹的喜爱之深。

秋风送爽之时，正是蟹肥膏红之日。螃蟹含有大量蛋白质、钙、锌，还含有较多的铁、维生素等。我国渤海湾和辽东半岛盛产梭子蟹，青色的蟹身从上面看很像以前织布用的梭子，所以叫梭子蟹。而南方沿海地区产青蟹，青蟹长得胖胖的，脂肪含量较高，常被作为炒蟹的原料。但最负盛名的蟹，必须是中华绒螯蟹，也就是我们常说的大闸蟹，主要有固城湖大闸蟹、太湖大闸蟹、阳澄湖大闸蟹。总之到了秋高气爽的时节，我国的大部分内陆湖都会爬出许多大闸蟹，纷纷义无反顾地爬到我们的饭桌上。

我小时候能够经常吃到大闸蟹，那个时候就叫河蟹。如果放了学回到家，闻到生姜和米醋的味道，我就知道今天一定是要吃河蟹了。我母亲蒸河蟹有自己的秘诀：把蘸汁和河蟹放到锅里一起蒸，姜丝的味道沁入到蘸汁里，更能凸显出蟹肉的香甜。

大闸蟹和一般蟹子一样，圆脐儿是母蟹，尖脐儿是公蟹，母蟹吃黄，公蟹吃膏。怎么挑选健康的大闸蟹呢？我的秘诀是将大闸蟹放到笸箩里，看看哪一只先爬出来 —— 爬得快的当然就是身体健康的闸蟹。然后用草绳将蟹牢牢捆住，这是为了在蒸蟹的时候让蟹不乱动，否则容易断腿，蒸出来就不完整了。烧一锅水，待水沸腾后放入姜片，这样做一是可以去腥，二是可以驱寒。蒸蟹的时候，一定要将大闸蟹的肚子朝上放置，避免蒸的时候蟹黄流出来。姜切丝，加入少许镇江香醋制成蘸料，将蘸料和蟹一起放到锅中，盖上蒸笼盖子，大火蒸10分钟即可出锅。螃蟹性寒，姜汁能够中和蟹肉中的寒气，让你可以尽情地享受螃蟹的鲜美。

此外，蟹黄豆腐这道菜，其实大部分都不是用蟹肉和蟹黄做的。传统的蟹季每年只有两个月，并且螃蟹的价格不菲，考虑到成本与季节问题，常常都用鸭蛋黄代替。我们在家里，可以用蒸好的大闸蟹，做一道奢华版的蟹黄豆腐，一蟹两吃。

对于我来说，食物的美味固然值得用心品味，但更重要的是我们要了解食物是从哪里来的、什么时候大自然会给予你什么食材。我们从大自然中获得所有的食物，在我们走进厨房、走向餐桌之前，先让我们回归自然，看看它给我们的最初的馈赠。应季而食不仅是人们上千年生产、生活积累的经验，还是对大自然的深深敬畏。

｛蟹黄豆腐｝

※ 食材 & 作料　大闸蟹、豆腐、姜、盐、鸡精、胡椒粉、淀粉、食用油

※ 步骤

1
—
蒸好螃蟹后，将蟹身、蟹钳、蟹腿里的肉细细取出，蟹黄单放。

2
—
烧一锅热水，将豆腐造形后上锅蒸熟。

3
—
热锅下油将姜末小火炒出味道。

4

将拆好的蟹黄下锅
煸炒，油会慢慢变
成金黄色。

5

倒入一小碗高汤，
调入盐、鸡精、少
许胡椒粉，倒入拆
好的蟹肉，小火慢
煮入味，最后倒入
适量水、淀粉，大
火收汁。

6

将蒸好的豆腐摆
盘，淋上蟹黄
汤汁。

成品

深秋

·

人生永不停『补』

莲藕排骨汤

　　进入深秋，来到"补"的好季节。人生处处需要补。首先，我们的身体需要补："一夏无病三分虚。"我们需要合理的饮食补充身体在夏季的虚损。其次，像我，人到中年，不像年轻时候精力那么旺盛、体力那么充沛，生活环境、社会地位、人际交往等基本固定，这个时候往往会生起一些惰性，此刻就需要有一种"补"的态度，自身的德业修为、涵养、慎独的精神，可以通过进一步的学习，得到提升。

　　在凉爽的秋风里，人们通过天然健康的饮

食方式将机体的状态调整到最佳，不仅可以补充元气，还能很好地预防冬日疾病。秋天之补重在食道，而如何吃得好、吃出营养，正是在秋风渐凉之际需要特别关注的话题。秋日进补要用科学的方法，不能盲目地进补，不对的进补方法，不仅达不到预期的效果，有可能还会损害健康。第一，我建议小朋友们秋日早晨多喝点粥。因为还在长身体阶段的小朋友们，入秋会出现脾胃功能减弱的现象，而粥正是此时调节脾胃的最好食品，它既可以祛秋凉，又能防秋燥。在粥里面加点蜂蜜，甜甜的味道孩子比较容易接受。第二，对于老年人，我建议多吃点莲子，可以煮粥，也可以煎汤。老人到了秋天很容易感冒上火，食欲不佳，莲子既能祛余暑，又能健脾胃，也有一定增强食欲的作用。第三，像我们自己这样的成年人，男人建议多吃核桃，女人多吃红枣。核桃补肾、温肺、润燥润肠，红枣补气、补血。

我分享一道秋冬之际上佳的进补汤品 —— 莲藕排骨汤。首先，它是一道特别接地气的汤品，每个人都很容易上手。其次，秋藕最补人，俗话说莲荷一身宝，再加上猪身上的精华 —— 排骨，一起炖煮之后，能把两种食材的营养成分充分溶解在汤里，滋阴补阳，益精补血。关于炖煮莲藕排骨汤，有几点经验，首先是选藕：藕一般分为脆藕和粉藕，实践告诉我们，粉藕最适合煲汤，因为粉藕淀粉含量比较高，炖熟之后吃起来也会感觉粉粉的。脆藕适合炒菜、凉拌。粉藕外皮颜色偏黄，脆藕外皮颜色更白。粉藕切开有黏黏的白浆，脆藕入刀更加清脆。其次，煲汤的火候也是很关键的一步。开始先用旺火烧开，这样可以迅速提高冷水和原料的温度，从而使原料中的营养成分随着水温的上升而大量溢到汤水中。

食补之外，我还想到了人生之"补"。有这样一个故事：大海边的一个小渔村，村民都靠打鱼为生，很多村民为了扛住风雨都买吨位大的渔船，越大吨位的渔船就越能扛住风雨，价格相对就比较贵。买大船的渔民越来越多，但危险却并没有减少，很多渔船出海后还是没能回来。为什么呢？原来出海打鱼，因触礁倾覆的船远远要多于被飓风掀翻的船。如这个故事一样，人生的很多关头，不在于扛风雨，而在于补漏洞。

我们的人生就是一个不停地学习"补"的过程。年轻时，学是为了理想，为了安定；中年时，学是为了补充，补充空洞的心灵；老年时，学则是一种意境，慢慢品味，自乐其中。进补，是进步的阶梯。让我们一起大"补"吧。

{ 莲藕排骨汤 }

小肋排、粉藕、姜片、香葱、盐、白胡椒粉、食用油　※ 食材 & 作料

※ 步骤

1

剁成小块的排骨用
白胡椒粉腌制。

2

锅里放油，放入姜
片，煸香之后，放
入排骨煎炸至表面
微微上色。

3

莲藕去皮，切成大
的滚刀块儿。

4
—

在炸好的排骨中加入温水。

5
—

大火煮沸后撇去浮沫。

6
—

放入莲藕，小火煮一个小时后，放入盐、少量胡椒粉、葱花。

成品

南瓜粉蒸牛肉

随着时代的不断进步，不同国家的人们之间交流更多，促使了彼此文化和传统的融合。以前中国人是不过万圣节的，我小时候就没有过万圣节，后来长大了才知道，万圣节其实就是外国的"鬼节"。中国也有"鬼节"，叫中元节，是农历的七月十五。古代人在中元节这一天，会祭祖、祭祀土地和庄稼，入庙祈福，等等。传说每到这一天，地府会打开大门放出所有的鬼魂，鬼魂们会在这一天走亲访友。

外国的"鬼节"——万圣节就不太一样，

更像是一个小孩子们的节日。每到万圣节，小朋友们都会打扮成鬼精灵模样，拿着南瓜灯挨家挨户去要糖果，如果不给糖果，小朋友就会捣乱，踩烂门口的南瓜灯。

我小时候虽然没有万圣节，但是也会经常跑到邻居家去串门。但后来每个家庭都经历了搬家，搬家之后与邻居们彼此就不太认识了，所以现在的中国家庭很少有去邻居家串门的习惯。而有了万圣节，则让大家重新培养起串门的好习惯，增加了不少的人情味儿。

万圣节也是每一个小家庭一起动起来的日子。一家三四口人，在特殊的节日氛围里，一起装扮家里，一起动手制作南瓜灯、制作以南瓜为原材料的美食，这些成为现在很多中国家庭过万圣节必不可少的活动。不仅乐趣十足，而且会提高每一个小家庭的亲情指数。

万圣节的主角是南瓜。这一天，每家每户都会买很多的南瓜，种南瓜的农民伯伯，得有多高兴。南瓜在这一天会扮演各种各样的角色：南瓜灯、南瓜面具、南瓜女巫、南瓜米奇，甚至用南瓜做的 LV 限量包。在西方，万圣节"玩弄"南瓜是有涵义的：传说南瓜灯中的烛火是鬼魂点上的，试图让人们上当而跟着鬼魂走，所以人们就在南瓜表面刻上一个嘲讽的脸面，用以调笑鬼魂："哼，傻瓜才会上当！"南瓜传入中国后出现了很多新的品种，我们会用南瓜制作出多种多样的美食。南瓜因为多籽，加之藤蔓连绵不绝，也寓意多子多孙、福运绵长。在北方，南瓜也叫倭瓜，因为和"窝"的发音一样，所以也寓意"福窝"，代表着一个幸福的小家庭。在我们家，我喜欢做一道很下功夫的菜——南瓜粉蒸牛肉。

通常大家做这道菜可能会去超市买现成的粉蒸肉调料，里面会含有炒米粉，但我这道南瓜粉蒸牛肉最大的亮点就是——自制炒米粉。将牛里脊肉切成片，调入盐、淀粉、料酒、姜末、豆瓣酱、鸡蛋液，拌匀腌制。将南瓜从三等分处用锯齿状花刀切开，掏净南瓜籽。将大米、糯米、八角、桂皮、花椒、白胡椒放入锅中，用小火慢慢干焙上色至有香味，再放入搅拌机中打碎。将米粉和牛肉片混合均匀，装入南瓜中，放入蒸锅，大火蒸60分钟，取出后撒入香葱花即可。

从我们现在过万圣节、圣诞节等一系列西方传入的节日能看出来，我们的生活比从前丰富很多。但同时，人们也比从前更忙碌，陪孩子、陪亲人的时间越来越少。所以，平日繁忙的我们，通过在万圣节这样的节日里"全家总动员"，多了一些时间和家人在一起。父母和孩子们一起动手制作美食，用这种方式，在自己的小家庭中，创造出了许多幸福的小瞬间。

{ 南瓜粉蒸牛肉 }

※ 食材 & 作料　南瓜、牛里脊肉、淀粉、鸡蛋、大米、糯米、豆瓣酱、姜末、料酒、盐、白胡椒、花椒、八角、桂皮、料酒

※ 步骤

1
南瓜从 1/3 处用锯齿状花刀切开，将南瓜籽掏净。

2
将牛里脊肉切成片。

3
牛里脊肉中调入盐、淀粉、料酒、姜末、豆瓣酱、鸡蛋液，拌匀腌制。

将大米、糯米、八角、桂皮、花椒、白胡椒放入锅中，用小火慢慢干焙上色出香味。

将炒好的米放入搅拌机中打碎。

将米粉和牛肉片混合均匀，装入南瓜中，大火蒸60分钟。

成品

◎ 糖醋小排

◎ 冬日暖心锅

+ 生腌梭子蟹
辣白菜炒五花肉

◎ 东坡肘子

◎ 八珍烤鸡

◎ 鸡汤馄饨

◎ 腊肠炒年糕

◎ 八宝鱼

◎ 四喜丸子

◎ 麻辣香锅

立冬 ·

一切都是刚刚好

糖醋小排

　　立冬在古代是一个非常重要的节气，因为从这一天开始，冬季真正地开始了，寒风乍起，万物收藏。"秋冬养阴"的古训，告诉我们要通过调节饮食的方式，让自己的身体开始为即将到来的漫漫冬日做准备，以抵御寒冷。民间也有"补冬"的习俗，在立冬日杀鸡宰羊或以其他营养品进补，因为大量的动物蛋白正是增加身体热量的理想来源。现在听起来好像有点为自己贪吃、爱吃找理由，但在过去，节气对人们生活的影响确实要比现在更为明显。小时候，每到立冬，除了中华传统美食之王饺子以外，吃肉是最让人期待的。那时候，物质相对匮乏，吃肉就是改善生活了。

从营养的角度来说，进补动物蛋白，排骨是非常不错的选择。因为排骨中除含有蛋白质、脂肪、维生素外，还含有大量磷酸钙、骨胶原、骨粘连蛋白等营养物质，适合人体吸收。

排骨烧菜有很多种做法，如粉蒸排骨、萝卜焖排骨、豉汁排骨、排骨莲藕汤、苦瓜炒排骨、黄豆焖排骨、陈皮小排骨……这里我分享一道酸甜口味的糖醋小排。这道菜除了排骨本身自带的肉感以外，醋味的介入是一个亮点。初尝醋的味道，有点酸涩的刺激感，但当醋的口感夹带着排骨一起在口中交融，互相刺激出来的那种味道会让人有深深的满足感。这种味道对应在生活里，特别像爱情。

做糖醋小排有两个重点，一是选排骨，这绝不亚于恋爱里寻找对的另一半，得下大功夫，得不断地经历才能游刃有余——当然，我不是鼓励多谈恋爱。里脊肉和背脊肉连接的部位就是大排，也叫肉排，其实就是脊椎骨。把大排上面的肉单独剔下来，最适合做成油炸肉排，剩下的骨头最适合用来煲汤食用。猪腹腔靠近肚腩部分的排骨称为小排，位置就在肋排和子排的下边，这部分排骨的肉层比较厚实，并且带有白色的软骨，是做糖醋小排最佳的肉料。二是勾芡，勾芡的好坏直接决定了一道糖醋口味的菜的成败。做糖醋小排时，可以放入小块冰糖、生抽翻炒，最后加入干桂花。干桂花有提味的作用，可以让这道菜的味道更香，同时还可以让色泽更浓郁。此外，醋一定要最后放，如果放得早，肉会过早吸收醋从而影响口感。最后加醋，醋的味道只存于表面，让排骨的味道更有层次。

冬天，也是一个充满浪漫的季节。想象一下，冬日午后，在人不多的小街上，男孩女孩哈着热气，并肩走着，什么都不说，如此默契，女孩扭头说一句"我手冷"，男孩毫不犹豫地捧起女孩的手焐起来。也许爱情在那一刻，就悄然发生了。就像糖醋小排，排骨默默地在锅里烧着，等待着唤醒自己那独特口感的一味调料。

爱情就像做菜一样，除了彼此的调和，还要把握住火候。尤其是在爱情长跑中，难免会有磕磕绊绊，当两个人有矛盾时，总是希望对方先认错，但等到问题解决以后再回头看时，所谓的问题可能不值一提。我们需要的是宽阔的胸怀，和对爱情的坚持和笃定。该低头认错就低头认错，该退一步就退一步，没有男女之别，相互之间最重要的是发自内心地对彼此的浓浓爱意，就像立冬时节的冬藏，储藏这份爱，感受这份爱，最终让这份爱有一个好的结果。我们都是为了那个美好的果实而去呵护对方。

一餐一食亦人生，一道简简单单的菜肴能让我们感受生活的细节。 它给予我们的，远不止味道，还有对生活的感悟。

{ 糖 醋 小 排 }

※ 食材 & 作料　　小排、黄酒、鸡蛋、冰糖、淀粉、干桂花、生抽、老抽、陈
醋、盐、植物油

※ 步骤

1

加热锅中的油至七成热，放入用盐和黄酒腌制并裹上蛋清和淀粉的排骨，炸至金棕色。

2

放入小块冰糖，炒至上色。

3

倒入开水没过排骨。

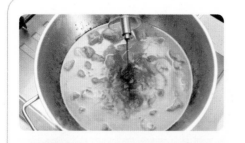

4

加一点生抽、黄酒和老抽。

5

等开锅后转小火炖煮。

6

最后转大火收汁，加入一点陈醋。

7

装盘后撒上干桂花。

成品

单身节 · **享受这一人生阶段**

冬日暖心锅

现如今人们发明了很多节日，"光棍节"也是一个当代人逗趣的新节日。因为工作关系，我常常待在学校，校园里每到这个时候，棒棒糖火了，糖葫芦火了，11路公交车火了，甚至连路灯杆都火了，所有棍状物体霸占了微博和朋友圈，没错，光棍节来了！

回想我们上大学的时候，宿舍哥几个也都是单身，差不多也是这个季节，刚飘了点小雪花，宿舍里的"光棍们"把私藏的小电锅拿出来，买点肉，买点菜，再来点酒，大家围在一起，吃两筷子，小酌一口，晕晕乎乎地聊一聊喜欢的女孩，一个字：美！那个时候，外面冷，心里热，我们就戏称这个冒着热气的小电锅为"冬日暖心锅"。煮点白菜、豆腐，再来两口羊肉卷，平淡无奇的食材翻滚出梦幻般的鲜味……后来，每到冬天，我在家都会想起做一道加强版的冬日暖心锅。

　　这个季节最应季的食材当属白菜。白菜古时称为菘，这个名字很独特，意指白菜像松柏一样凌冬不凋。古人称蔬菜好吃，常夸"初春早韭，秋末晚菘"。我煮暖心锅用的是加强型白菜，白菜的改良品种——娃娃菜。娃娃菜是种"超小白菜"，但它的钾含量却比白菜高很多。在这个季节，娃娃菜被霜一打，味道是甜的，做汤食最佳。还有一样不得不提的冬菜：萝卜。冬天的萝卜赛人参，萝卜味甜、脆嫩、汁多，"熟时甘似芋，生荐脆如梨"。江苏如皋萝卜为最佳，皮薄、肉嫩、多汁、味甘不辣、嚼而无渣。

　　能跟白菜、萝卜完美搭配的就只有豆腐了。豆腐存在的历史悠久，相传是汉高祖刘邦的孙子——淮南王刘安在烧药炼丹的时候，偶然以石膏点豆汁，从而发明豆腐。比起嫩豆腐，老豆腐色泽偏黄，更加有质感，韧性较强，更适合炖煮。要暖心，先暖身，冬天吃牛肉丸最过瘾。潮汕人最会做牛肉丸，精选牛的后腿肉，不能用绞肉机，一定是先锤打，将肉的脉络震碎，再用刀剁馅儿，将牛肉打成肉糜，这样的牛肉丸绝对 Q 弹爽口。

先将猪棒骨、鸡骨放入锅中慢熬两小时，加入 20 克海米、20 克干贝吊鲜汤，其中有个技巧：先飞水去除血沫，用陶锅炖煮，不加任何调料，保持汤汁的鲜美。俗话说："无鸡不鲜，无鸭不香，无皮不稠，无肚不白。"接着处理食材，将香菇、鲜鲍鱼改花刀，火腿切薄片，蔬菜洗净待用。牛腿肉剔除表面筋膜，用铁棒捶打成肉泥。在肉泥中加入盐，再逐步加入水、淀粉，将肉泥混合均匀。锅中加入水烧至微沸，取适量牛肉握在手中，从虎口处挤出，再用汤勺舀下形成丸状，放入水中，慢慢余煮至表面定形，再放入冷水中浸泡过凉。逐一将食材放入锅中摆盘 —— 陶锅底部放置不易熟的肉类、淀粉类食材，上部放置容易煮熟的蔬菜、火腿等，保证所有食材的新鲜口感，将高汤倒入锅中，文火炖煮即可。

做好暖心锅，说回到单身。单身是一个人必然会经历的人生阶段，并不是一个贬义的标签。它是一种由自然的生活状态导出的生活态度，不需要向别人交待些什么，毕竟生活从来都是冷暖自知。每一个人生阶段都是唯一的，如果你目前处在单身的阶段，也把它看作是美好的时光，去享受它吧！

{冬日暖心锅}

猪棒骨、鸡骨、生姜、白菜、豆腐、干贝、火腿、海米、魔芋、香菇、金针菇、茼蒿、白萝卜、干海参、鲜鲍鱼、牛后腿肉、淀粉、盐

1

将猪棒骨、鸡骨、海米、干贝，放入锅中慢熬。

2

牛后腿肉剔除表面筋膜，用铁棒捶打成肉泥。在肉泥中加入盐，再逐步加入水、淀粉，将肉泥混合均匀。

3

锅中加入水烧至微沸，取适量牛肉握在手中，从虎口处挤出，用汤勺舀成牛肉丸，放入水中。慢慢汆煮至表面定形，再放入冷水中浸泡过凉即可。

4

将改花刀的香菇、鲜鲍鱼，切薄片的火腿、豆腐、白萝卜、魔芋、金针菇等逐一放入锅中摆盘。

5

将煮好的高汤倒入锅中，文火炖煮。炖煮后即将开锅时最后放入洗净的蔬菜。

成品

　　11 月中下旬就要迎来小雪节气了。这个时候，冷空气比较强劲，降温也比较厉害。说起这个时节的美食，我首先想到腌货。此时腌制食物放室内就刚刚好，不会坏掉。随着天气渐冷，新鲜的蔬菜品种会逐渐减少，家中自制的腌货美食就可以给吃货们的冬季带来更多选择。

　　腌菜是一种古老的蔬菜加工贮藏方法。以前，腌制蔬菜主要是因为老百姓生活水平相对落后，为了延长蔬菜的贮藏及食用期来弥补粮食的不足。现代人食用腌菜已不再是为了解决温饱，而是为了调节口味，助消化、消油腻，但因为腌菜中含有亚硝酸盐，要适量食用。

腌货不单单指腌蔬菜，肉也可以腌，俗话说"北方多腌菜，南方多腌肉"。我父母都是南方人，南方人家年前都要制作腌货，这是最费时间、最有技术含量也是最富有年味儿的传统食物。鸡、鸭、鱼都可入料，腌好后挂在房前屋后向阳的地方晾晒。以前有个笑话，说北方人到了南方，看见外面树上挂着各种各样的肉，很奇怪南方的树上怎么还长鸡、长鱼、长鸭。南北方的饮食差异由此可见一斑。

生腌海鲜是南方人特别喜欢吃的菜。将洗净的海产品放入由姜、葱、蒜、盐、辣椒、酱油等按口味比例调好的酱汁中，腌制一段时间即可生吃。其中，我喜爱的要算潮汕的生腌梭子蟹。梭子蟹肉味清甜，海水气息浓郁，将肥美的梭子蟹放置容器中，灌入绍兴酒、蒜蓉，还有浓郁的辣椒、生抽等。待酱汁晕了蟹头，酒气迷了蟹眼，它便昏睡过去，化身为餐桌上的一道传奇美味。一打开，蟹肉晶莹剔透，红艳艳的半凝固的膏，让人食指大动。

北方人特别喜欢各类口感爽脆的腌菜，比较有代表性的就是腌辣白菜，酸辣爽脆，可以单独吃，还可以用来炒菜。我常做的是辣白菜炒五花肉。虽然南方北方的腌货在食材选择、做法上各有不同，但有一点是相同的，都需要时间的历练，腌制需要经过几周，甚至几个月，调料的味道才能慢慢渗入食材当中，更加入味。

食材在腌制的过程中，就像诞生了另外一个生命，让我们重新发现一种全新的味道。人也一样，时间对一个人的改变是很奇妙的。我在三十岁之前和之后展现的是完全不同的两种风格和状态。但我们没有必要把时间看得那么可怕，虽然时间会使我们变老，但只要学会怎样更好地与时间为伴，时间也会推动着我们去探索更多有价值的东西。

在我的生活中，有三件事是必须做的，一是写日记，二是旅行，另外就是拍照。我很喜欢摄影，每当翻看照片的时候，我都会忽然明白时间在我们身上留下的独特印记。时间在每个人的头脑中转换成一段具象的经历，一种与气质相随的精神，一段难以磨灭的故事。或许这才是时间的伟大和珍贵之处。

时间的历练会使一个人变得更加成熟、更有味道；经历了漫长的时间依然留存下来的，都是最珍贵的东西。我们通过时间，能够读懂一段人生，也能够深刻地理解一个人。

{ 辣白菜炒五花肉 + 生腌梭子蟹 }

※ 食材 & 作料　梭子蟹、大白菜、辣椒粉、韩国辣椒酱、鱼露、韭菜、盐、
白糖、生抽、绍兴酒、姜、蒜、虾皮、虾酱、五花肉、年糕

※ 步骤

1

把鱼露、虾酱、韭菜、辣椒粉等调料混到一起。

2

大白菜用刀切开，把料一层一层抹上去。把白菜放到保鲜盒里，阴凉处密封10天。

3

锅里倒油，放姜、蒜爆香，将切成薄片的五花肉炒上色，再加入辣白菜、年糕。

 4

加韩国辣椒酱炒匀出锅。

 5

将每只梭子蟹斩成四段，放入容器。

 6

倒入用绍兴酒、蒜蓉、姜末、盐、糖，还有辣椒、生抽等按口味比例调好的酱汁，腌制一段时间。

 成品

大雪 · **馋，是容易传染的**

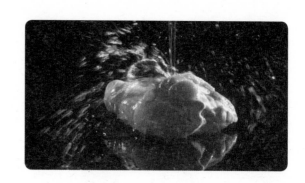

　　大雪时节，是四季中最寒冷的一段日子。我是在这个时节出生的，生日前下了场大雪，因为这场雪，我父亲差点给我起名黄飞雪。大雪是冬季的第三个节气，也是反映降水的节气，"大雪，十一月节，至此而雪盛也"，这是一年中雪最大的时候。民间说"瑞雪兆丰年"，因为雪盖在土地上，既能保温，又能滋润土地，所以谚语说"今年麦盖三层被，来年枕着馒头睡"。

　　最寒冷的时节，却是胖人们的幸福时光，为了抵御严寒，人们都会不由得多吃。胖人们不怕冷，还有许多隐形福利：坐地铁，花同样的钱，基本上你能坐两个座位；跟朋友打车就更有优势了，副驾驶的尊贵位置必须给你留着，这样的话后面还能多坐一个人；给人的第一印象既稳重又善良，别人只会说你胖，永远不会说你丑；去澡堂搓个澡，花一样的钱，咱们享受的是超时的服务；出门在外，一般人评价首先会说"这人家庭条件不错"；洪水来了能漂在水上，刮个台风基本没啥影响；关键是身体很柔软，抱起来的感觉非常幸福，夏天能遮阳、冬天能取暖，所以女人缘特好；还有一点，胖的人基本没有皱纹，有也都撑开了。

我挺喜欢微胖的自己。只有我们自己才能决定自己的模样，有好多人的人生是被减肥耽搁的，总觉得一切美好的事情都要等到减肥成功了才做，永远在等待自己破茧成蝶的那天，归根到底，还是缺乏自信，不够喜欢自己。我们是要变得更好，但更重要的是，要喜欢现在的自己，享受此刻的人生。如果你根本不喜欢自己，就算瘦成竹竿也是不会得到幸福的。但我并不是鼓励大家肥胖，我是鼓励大家微胖，因为在我这个年纪，体脂太低并不是件好事。一切都有个度，这个度就是健康。

我胖起来，也是因为爱吃肉。我是个肉食动物，总认为吃肉是特别符合人本身欲望的一件事。大口喝酒，大口吃肉，和朋友把酒言欢，都是很快乐的事。我的童年记忆里吃得最多的就是肉和糖，那时候可以无忧无虑地随意吃。上个世纪 70 年代中期，为了让我吃好，我们家是同等收入家庭中最后才买上冰箱、电视、洗衣机的。当别人家的孩子凑合吃饭，但可以围坐在一起看电视的时候，我的父母选择让我们对着一锅肉。可即便是这样，依旧无法解决我的馋，我肉欲足，而且我的吃相非常有感染力，常常嚼一块口香糖都会让旁人以为我吃的是牛肉干。馋是容易传染的，我以身作则地带动了身边的一众亲朋好友。

此外，男人结婚后一般也会渐渐发福。我发胖是从孙莉怀多多开始的，那时候推掉了所有工作在家陪着，变着法子地给孙莉做好吃的，不仅厨艺突飞猛进，而且以比孕妇还迅猛的速度胖了起来。

幸福的生活，无非是一家人一起吃饭，而人和食物的美好关系，也大多从相聚开始。爱就是在一起，吃很多很多顿饭。人们对美食的感受可以一起分享。在家吃饭，会令人和人贴得很近。我们对家庭的记忆就是一顿又一顿的饭。关于美食的记忆便是和父母在一起的记忆，而一起吃饭，也是对孩子的陪伴、对伴侣的陪伴。在这样的陪伴中，如果我胖了，那么也是心甘情愿的。

{ 东 坡 肘 子 }

※ 食材 & 作料

猪前肘、黄酒、花椒、豆瓣酱、泡辣椒、
泡姜、花椒、姜、大葱、白酒、白糖、
酱油、米醋、干辣椒、香菜、淀粉、白
胡椒粉

※ 步骤

1

锅中放入足量
水,加入花椒、干
辣椒、大葱段和
姜片。

2

水烧沸后放入肘
子,大火撇除血
沫,小火炖煮2
小时。

 3
锅中放入油，炒制豆瓣酱，炒出红油后和切成末的泡椒、泡姜一起爆香。

 4
放入黄酒、白糖、米醋和白胡椒粉调味，最后勾芡。

 5
将炖好的肘子装盘，浇上炒制好的酱汁，撒上香菜末。

成品

如果说秋季是大自然丰收的季节，那么冬季就是我们每个人每年事业收获的季节。一般12月是大家最忙碌的时候，所有人都努力让这一年有一个完美的收尾，准备迎接新的一年。学生们忙着准备期末考试，给自己交一份满意的答卷；上班的不管是小白领还是小金领，也忙碌着做自己的年终盘点，去迎接一个幸福的新年；对于公司来说，老板们到了年底会总结公司一整年来的收益，对新的一年做一个更加细致的企业规划。

现在正规的大企业，都有严格的KPI，每个人根据自己这一年的每一项指标，可以计算出自己今年有多少年终奖，这样才合理公平。企业也有自己的"家庭盛会"，大家都把它叫作年会。一些财大气粗的企业会请很多明星举办演唱会，也有一些男同胞比较多的企业会专门从海外请模特，还有年会版"维多利亚的秘密"内衣秀……这些企业的年会经常能够上头条，趁着年会"火"一把。年会上员工们最喜欢干的事，应该就是恶搞老板了吧，每年都能在年会上挖掘到自己老板的新技能，有老板唱歌的、跳舞的、灯光秀的，这些节目往往都是年会上最受欢迎的节目……老板嘛，必须得第一。

每个年会一定要有一道"年会招牌菜"，这个招牌菜很有讲究，目的也不一样。大家都知道微软和苹果一直都是冤家，曾经有一年的微软年会上，竟然有八道菜都是用苹果做的，"苹水虾逢"鲜翡翠、青江南瓜嗑苹果、清蒸苹果捲鲜鱼、八仙过海炒苹果，等等。我想，微软的老板们是高兴了，但员工们应该以后不会吃苹果了吧。我要推荐的黄小厨的年会菜是一道非常实惠的菜：八珍烤鸡。

鸡肉蛋白质的含量比较高，并且很容易消化吸收，也有增强体力、强壮身体的作用，尤其是在冬天，天气寒冷，很多人应该也很少运动了，这个季节多吃点鸡肉，能适当地帮你弥补没有运动的缺失。八珍烤鸡因为要用到红参等八味中药，所以也是一道大补的药膳，让我们把收获都填到肚子里。

从春天开始教大家做菜，做到了冬天，我的目的不仅是教会大家去做每一道美食，更重要的是想要告诉大家，要好好享受生活，好好去感受大自然给予我们的美好。此外，还有个朴素的期望，就是愿大家用应季的食材，做应季的健康美食。我能想到最浪漫的事，就是做你们一辈子的黄小厨。

{ 八珍烤鸡 }

※ 食材＆作料　整鸡、干香菇、冬笋、木耳、红参、黄芪、灵芝、枸杞、天麻、丁香、砂仁、肉豆蔻、陈皮、茴香、八角、生姜、盐、糖、黄酒、麻油、生抽、老抽、胡椒粉

※ 步骤

1
将所有香料加水煮，加一点生抽、老抽、黄酒、胡椒粉和盐，煮一小时后沥除香料，晾凉。

2
放入整鸡在卤料中浸泡一整天，可盖上保鲜膜放入冰箱。

3
锅中放入麻油，爆香姜片，炒香菇、木耳和笋片，用老抽、糖和盐调味。

4

将炒好的香菇、木耳、笋片填入整鸡中，然后用线绳捆绑好。

5

用油炸至整鸡表面焦黄。

6

炸好的鸡放入烤箱中，用180°C烘烤30分钟即可。

成品

冬至

用爱驱散冬天的寒冷

鸡汤馄饨

　　冬至的含义到底是什么呢？这一天是太阳直射北半球角度最偏的一天，也是白昼最短的一天。在北京，这一天白昼只有9个多小时。这一天是入九的第一天，但并不是最冷的时候，因为地表还有积存的热量，等到这些热量慢慢散失殆尽，就到了最冷的日子，差不多是三九的时候。

　　现在的冬天和以前有很大的差别。北方集中供暖，尤其东北，在屋里热得恨不得脱光，跟过夏天似的。就算你外出，私家车、公交车、地铁，这些交通工具里面都有暖气，等你到了目的地进了屋，又有了暖气，真正体会寒冷的时间并不多。

但是以前冬天的冷是真的冷，大家骑自行车，帽子、手套、围巾、口罩、毛裤、护膝一样不落，把自己包得跟粽子似的。就算这样，还是会把手冻得通红，鼻涕一把眼泪一把的。有些家庭没有集中供暖，我小时候住在胡同里，家家户户都是烧煤炉子，但又不可能每个屋都烧，所以到了晚上，大家都得围在炉子旁边才觉得暖和。现在人们已经很幸福了，基本上不会再挨冻了。

当然，冷不冷不是天气说了算，而是人说了算。同样的天气，有的人怕冷，穿秋裤比谁都积极，那叫一个成熟！有的人不怕冷，别人都羽绒服了他还短袖呢，要风度不要温度。韩国人就比中国人扛冻，你看韩国满大街的姑娘，大冬天也光腿穿裙子，可以说是一道独特靓丽的风景线了。俄罗斯的朋友就更厉害了，那是出了名的扛冻，零下六十多度也不怕，一瓶伏特加下肚全搞定。

对于我来说，天气虽然非常冷，但内心特别温暖，不是因为家里暖气烧得好，或者我穿的羽绒服特别厚，而是因为在最冷的日子，你能得到最多的关心。你的父母、爱人、朋友会叫你多穿点，别感冒。网络上不是流行一个段子——"有一种冷，叫你妈觉得你冷，有一种饿，叫你妈觉得你饿。"我觉得这可能是世界上最无理、最强势的关心了吧。这么多突如其来的关心，你是不是受宠若惊？冬天得到的关心是不是比夏天多？所以说，就算天气再冷，只要被这些爱你的人无微不至地关心，心里就永远是暖暖的。

在我看来，寒冷只是人们外在的感受，其实冬天带给我们更深刻的感受不是寒冷，而是一股热乎劲。我们在冬天爱吃火锅，爱喝热汤，爱吃各种热乎的食物。家人朋友们也更愿意聚在一起，热热闹闹地吃顿饭，就像冬天里的一把火，把我们的热情都点燃了。这种感觉在夏天里是感受不到的。所以说到底，暖不暖和，热不热闹，还是跟吃有关！

冬至吃什么？有古文记载称："预日为冬夜，祀祖羹饭之外，以细肉馄饨奉献。谚所谓'冬至馄饨夏至面'之遗意也。"也就是说，很久以前的老北京人在冬至这一天，吃的其实是馄饨。不仅仅是北方，很多南方家庭都有冬至吃馄饨的习惯。

为什么选用馄饨拜冬，馄饨正确的读音是"hún·tun"，而冬至吃馄饨是因为"馄饨之形有如鸡卵，颇似天地混沌之象，故于冬至日食之"。我的理解是，馄饨跟饺子最大的区别在于，饺子可以单独吃，但馄饨一定是伴着热乎的馄饨汤吃下去的，吃完以后身体暖暖的，心里也暖暖的。我们的家人、朋友，就像馄饨汤一样，在寒冷的冬天，围绕着我们，给我们温暖。冬天来了，多和家人、朋友聚在一起，热热闹闹吃顿饭，身上和心里的那股热乎劲，就能像冬天里的一把火，驱散冬天的寒冷。

{ 鸡汤馄饨 }

※ 食材 ≥ 材料

馄饨皮、虾仁、鸡汤、姜末、猪肉馅、
虾皮、料酒、盐、紫菜、麻油、生抽、
胡椒粉

※ 步骤

1

虾仁剁碎加入猪肉
馅，再调入姜末、
料酒、生抽、盐、
胡椒粉搅打均匀。

2

在馄饨皮中放入
少许馅料，包成
馄饨。

3

将虾皮、紫菜、麻油放入碗中。

4

锅中将水烧沸，放入馄饨，中火煮至完全浮起。

5

先将炖好的鸡汤冲入碗中，再将馄饨捞入碗中即可。

成品

元旦 ·

回家的礼物

中国文化讲究礼尚往来，逢年过节免不了要收送礼物。送礼在我国有很多讲究。不能给老人送钟（终），不能给亲人送鞋（邪），不能给爱人送伞（散），不能给朋友送刀（一刀两断）。送别人碗预示着自己要丢饭碗，送别人钱包预示着自己要破财……所以总有人为了送礼的事情发愁。

据说乾隆年间，有位官员将上好的徽墨进贡给皇上，为了拍皇上马屁，这位官员在墨上印上了"万寿无疆"四个金字，皇上龙颜大悦。

没想到的是，这墨磨到后来短了一截，这金字也变成了"万寿无"，皇上大怒，这倒霉的官员因此受罚。这礼送得多糟心啊！

中国人由于受周公之礼、孔孟之道的影响，一向崇尚礼尚往来。《礼记》说："礼尚往来，往而不来，非礼也；来而不往，亦非礼也。"这正是中国人对礼的认识的真实写照。礼品的意义在价值而不在价格，"千里送鹅毛，礼轻情义重"是中国人的礼品价值观。所以礼物的本质在于情义。

我是一个喜欢张罗饭局的人，朋友来家里吃饭大多会带礼物，但是何炅来我家蹭饭，常带的礼物就是一张嘴。一来我家，往沙发上一躺便开始催菜，让他帮厨基本不可能，菜上来了还是动嘴，一顿吃喝，接着往沙发上一躺，小酌一杯红酒，洗碗也压根儿跟他没关系。

近几年虽然网购很方便，但我还是喜欢拎着礼物回家的感觉。以前在外拍戏时，每到一个地方我都会买当地风物带回家。2006 年年初，我在四川宜宾的蜀南竹海地区拍戏。大约腊月二十八的时候，我转到老乡家里，看到人家挂在灶台上的腊肉，我缠了老乡很久，终于把腊肉买了下来。那个时候多多刚刚一岁，要吃鸡蛋黄，所以我又在村子里找到土鸡蛋。又买了一些竹海特产竹笋、笋干、竹荪、竹蛋……大包小包地提着，一路上小心翼翼地提回家。你知道过年之前从外地提着土特产回家

的心情吗？那就是真正的回家过年的心情。似乎只有这样，才
会让人觉得自己有家，惦记着家。

出门在外，惦念着家人，肯定也惦念着家里饭菜的味道。
每年到了这个时候，家里应该做年糕、灌腊肠了。年糕是一种
用黏性大的糯米或米粉蒸成的糕，在春节，我国很多地区都讲
究吃年糕。年糕又称"年年糕"，与"年年高"谐音，寓意着人
们的工作和生活步步高升。具有代表性的有北方的白糕、塞北
农家的黄米糕、西南的糯粑粑、台湾红龟糕等。年糕有南北风
味之别。北方年糕有蒸、炸两种，均为甜味；南方年糕除蒸、炸
外，还有片炒和汤煮诸法，味道甜咸皆有。

腊肠也是我国很多地区的必备年菜，腊肠不加淀粉，可储
存很久，各地特色不同，比如广东的广式腊肠、广西的梧州腊
肠、四川的麻辣腊肠等，熟制后食用，风味鲜美，醇厚浓郁，
回味绵长，越嚼越香。年糕也可以在家自制，首先将黏米粉和
糯米粉加水拌匀，再用纱布沥去米浆中的水，之后将米浆上锅
蒸40分钟，取出蒸好的米团抹油捶打，最后再将捶打好的年糕
造形、风干。

做一道腊肠炒年糕，给想家的胃解解馋。

{腊肠炒年糕}

※ 原料&调料

年糕、广东腊肠、糖、甜酱油、蒜、青菜、盐、胡椒粉、食用油

※ 做法

1 年糕切片，放入沸水中汆烫，捞出放入冷水中。

2 广东腊肠切斜片，青菜一棵四份切开。

3

锅中放入油烧热，爆香蒜末，倒入腊肠翻炒。

4

放入白糖和甜酱油。

5

随后放入年糕和青菜，加一点点盐和胡椒粉调味即可出锅。

成品

　　为什么要过腊八节？为什么要喝腊八粥？腊八，即腊月初八，传说释迦牟尼在菩提树下打坐48天，就是在腊月初八这一天证悟修成正果的。人们为了纪念这一天，会煮粥敬佛，腊八粥由此而来。

　　童谣里还唱过"小孩小孩你别馋，过了腊八就是年"。这说明大鱼大肉的日子马上就要到来啦。这么说起来，腊八节也是吃货们的节日。人们常说"犒劳你一顿"，我始终觉得过年吃吃喝喝是为了犒劳人们过去一年辛苦的工作，这样，新的一年才有动力继续辛苦啊！

　　但是说到辛苦，到底是男人辛苦还是女人辛苦？我们中国
的传统观念是男主外、女主内，男人负责在外打拼赚钱，女人
负责在家相夫教子。所以基本上女人就应该在家做饭，就应该
刷盘子洗碗，就应该收拾屋子。

　　很多"直男癌"会说："你不就天天在家洗碗做饭打扫卫生
吗，有什么辛苦的，能比我在外面打拼辛苦？"或者："一个孩
子你都带不好，我还能指望你做什么？"

　　我不得不站出来为广大的家庭主妇们发声，事实上，她们
的工作量一点也不小，做饭、接送孩子、辅导作业、购买生活
用品、打扫卫生，等等，从早忙到晚，其实并不比外出工作的
女人轻松。有时候还要承受很多的心理压力和不安全感。如果
再不幸一点儿，不仅要当家庭主妇，在外面还要工作，那就更
辛苦了！

　　所以作为好男人，不能让女人感到苦和累，也不能让女人
在心理上感到压力和不安全感，否则就是一个不称职的男人。
患了"直男癌"的男人永远活在自己的世界观、价值观、审美
观里，时时流露出对他人的苛责、打压以及种种的看不顺眼，
并略带有大男子主义的特征。

　　"直男癌"的反面是"暖男"。真正的暖男不仅要会照顾女

人，还得会照顾全家人。老婆、孩子、爸妈、丈母娘、老丈人、三姑六婆……要照顾周全一个女人已经很费劲了，还要照顾好这么多人该怎么办啊？

我有独家的秘诀解决这一难题，那就是做饭，而且是做一桌子饭给他们吃，把家人全喂饱了，自然就都照顾好了！一箭七八雕，吃完你做的饭，大家还会对你赞许有加，"好男人"头衔分分钟拿到手了。在生活中，我一直都是"家庭煮夫"，没事就给老婆孩子做好吃的，补补身子。我做饭的好处，是可以将老婆从烟火缭绕的家务中拯救出来，让她不用为了生活中的鸡毛蒜皮而焦头烂额，这样她自然能一直保持少女的模样。

我教大家做一道暖男速成必学菜——八宝鱼。八宝鱼跟腊八粥一样，食材用料比较多，这里"八宝"的八字其实是个泛指，代表调料和材料种类多，也可以满足我们一大家子人不同的口味，众口不再难调。而且一道八宝鱼，可以给新年送上一个"年年有余"的好意头。

做一个暖男其实很简单，最好的方法就是尊重你的爱人，用一颗细致的心去爱她，去爱你的孩子、你的家人。你自然就会变成家中的全能老公、超级奶爸，还有金牌女婿，变得无所不能。当看到你所爱的人因为你的照顾而生活幸福时，你的内心自然就会感受到幸福。

{ 八宝鱼 }

※ 食材 & 作料 鲈鱼、豌豆、肥肉、香菇、木耳、冬笋、胡萝卜、马蹄、豆腐干、豆瓣酱、糖、盐、胡椒粉、淀粉、黄酒、姜

※ 做法

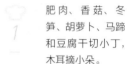

1 ─ 肥肉、香菇、冬笋、胡萝卜、马蹄和豆腐干切小丁，木耳摘小朵。

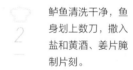

2 ─ 鲈鱼清洗干净，鱼身划上数刀，撒入盐和黄酒、姜片腌制片刻。

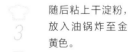

3 ─ 随后粘上干淀粉，放入油锅炸至金黄色。

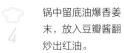 锅中留底油爆香姜末，放入豆瓣酱翻炒出红油。

5 依次放入八宝料炒香，调入盐、糖和胡椒粉，勾芡。

6 将炸好的鲈鱼摆入盘中，淋上炒好的八宝料即可。

 成品

春节前·

辛苦着，奔赴一场团聚

四喜丸子

　　每到临近过年，大家早就按捺不住一颗回家的心。勤奋的白领同学们忙着站好放假前的最后一班岗；而爸爸妈妈们应该已经开始盘算着过年的年货；小学、中学、高中、大学的学生们，应该在期末考试吧。此时所有人都关注的最重要的事情，一定是春运。

　　春运，首先你需要抢一张回家的车票。之所以要用"抢"字来形容，是因为这段时间海、陆、空的交通工具几乎供不应求，离家比较近的抢汽车票，比较远的抢火车票，大学生们抢硬座票，白领们抢卧铺票，宽裕一些的人抢机票和高铁票，当然还有土豪也要抢头等舱的机票。

好在现在可以网上买票。以前不能在网上买票，每次买票都是一段非常难忘的经历。上大学的时候，天南海北，哪儿的同学都有，有的同学家离北京特别远，他们除了要复习期末考试，晚上宿舍关门以后大家准备睡觉的时候，这些同学就得跑到火车站排队，有时好不容易排了一夜，早上刚准备买票就被坑爹的黄牛一下全买走了，最后只能买高价票。

如果你买到票了，恭喜你，你将会参与到每年几乎是人类最大规模的周期性大迁徙 —— 春运中。大迁徙嘛，可以用一个字来形容，那就是"挤"！还有一个很有画面感的词 —— 人流，我非常怀疑"人流"这个词就是为春运定制的。都哪里挤呢？哪里都挤！排队上车挤，放行李挤，坐着也挤，下车更挤。挤到什么程度呢？过道里坐着人，椅子下面躺着人，行李架上也能躺人，两个椅子连接处的椅背上还能躺人。更让人泪奔的是，好不容易上了车，发现连站的地方都没有时，却看见推餐车的列车员在如沙丁鱼罐头般的车厢里脚下生风、凌波微步、来去自如的样子。有一首诗描写得很恰当："当我在缝隙都找不到的车厢里，苟延残喘表演雕塑时，列车员的自如怎能不叫我在风中凌乱。"列车员能够在拥挤的春运车厢里来去自如，那是有秘诀的，什么秘诀呢？"啤酒饮料矿泉水，花生瓜子方便面，腿收一下啦！"

很多人都会参与到这次大迁徙当中，其中也不乏平常光鲜亮丽的明星。每到春节，大家仿佛都松了口气，会卸掉平常的浓妆，像个孩子一样回到家人身边，像我的朋友圆圆、冰冰，都会在朋友圈里晒出自己在春运大潮中回家的照片，往往这时候的朋友圈是一年当中最接地气的。有句话怎么说来着："在外是明星，回家当二丫。"

春运已经有六十余年的历史，它一头连着家乡的年味，一头连着异乡的打拼。无数人为梦想离开家，又因思念而不远千万里回家团聚。临近阖家团聚，想分享一道名字非常吉利的菜肴：四喜丸子。四喜丸子是每逢有重大喜庆之事，宴席上必备的菜肴。本身的寓意是一喜头榜题名，二喜成家完婚，三喜乘龙快婿，四喜合家团圆。我给自己做的四喜丸子起名"黄四喜"，一喜家人早团圆，二喜来年事业旺，三喜爱情久甜蜜，四喜人人常健康。

{ 四喜丸子 }

※ 原材料准备

猪肉馅、马蹄、酱油、生抽、老抽、八角、大葱、料酒、姜、盐、糖、白胡椒粉、油菜芯

※ 步骤

1　马蹄去皮切碎，姜切末。

2　肉馅中调入生抽、老抽、盐、料酒、白胡椒粉、糖，混合搅打均匀。

3

将肉馅团成大丸子，放入油锅中，炸至表面定型上色。

4

锅中留底油爆香八角、姜片、葱段，放入丸子、水和酱油，倒入开水烧煮30分钟。

5

最后调入盐，大火收汁，搭配烫好的油菜芯即可。

成品

　　迎来小年这个节日，意味着还有一周时间就要过年了。小年其实也叫作祭灶日。传说灶王爷每年腊月二十三、二十四上天汇报，大年三十再回到灶底。老百姓觉得对灶王一定要敬重，因为他要上天汇报，于是，民间祭灶的时候就会奉上"灶糖"，希望灶王爷上天在玉帝面前说些甜言蜜语，祈求来年的平安和财运，有的人甚至直接把糖涂在灶王爷的嘴上，堵他的嘴。

　　小年这一天的习俗有很多，祭灶王、大扫

除、剪窗花、贴春联、备年货，一大波春节备战工作就这么如火如荼地启动了。但是随着时间的推移，现在很多习俗都没有了，尤其在城市里，我已经很少看到有人祭灶了，难道是因为我们现在都用上了电磁炉，所以灶王爷下岗了？窗花也可以直接在超市买到现成的。这些传统习俗之所以慢慢消失，可能是因为大家追求的是更加高效的东西，烦琐的程序能省则省吧。

祭灶王爷、剪窗花淡出了人们的新年生活，但是，置备年货绝对是必不可少的"传统习俗"。我们小时候必备的年货跟现在的不太一样，现在主要就是些吃的，但是以前的年货不仅限于食品，鸡鸭鱼肉、茶酒油酱、南北炒货、糖饵果品，都要采买充足，还要准备一些过年时走亲访友时赠送的礼品。小孩子要添置新衣新帽，准备过年时穿。那时候办年货要去赶集，很多商户会在约定时间同时汇聚在一个地方统一售卖商品，很像今天的快闪。年集是一年中规模最大、参与人数最多的一次市集，售卖的商品涵盖衣食住行，什么都有，还有春联、香烛、窗花、灯笼、鞭炮这些过年的必备品，只有你想不到的，没有它不卖的。

旧时北京的市集有很多，直到今天仍然有许多以老北京市集所在地命名的地名，像骡马市、珠市口、菜市口等，曾经都是些专门性的市集。随着时代的发展，这些市集渐渐都被淘汰了，到今天，动动手指网购，年货就直接送上门。整个时代都在追求效率、速度和极简主义，人们的时间利用率更高了，少浪费了许多不必要的时间和精力。

但是当这种追求方便快捷的习惯被养成后，总感觉失去了很多生活趣味。比如说原本情侣之间去商场逛街、吃小吃、喝饮料、购物的过程，现在变成两个人在家各自对着一台电脑。时间和精力是节省了，可是原本应该浪漫共处的愉快时光也被省掉了。

所以，我始终认为，生活一定不能太简单！要生活得复杂一点。做很多事情要有仪式感，这样才能够品味到生活丰富和有趣的一面。年味就表现在民俗传统的形式中，因为正是这些具有仪式感的事情把我们和家人聚在一起，正是这一件件要和家人一起做的事情，才丰富了我们的新年，才有了年味儿。

说到制造年味儿，一家人聚在一起吃饭喝酒应该是最好的方法了，因为热闹。在小年这天，一锅各类食材烩在一起的麻辣香锅应该是最佳选择了。海带、鱼丸、鲜虾、午餐肉、笋片、腐竹……各式食材样样都有，就像办年货的市集一样品种丰富。烩在一起拿香锅酱一炒，一锅食材都变得香香辣辣，所以麻辣香锅也叫"一锅香"，是人多聚会时很有热闹气氛的一道菜。口感浓厚的肉和菜，再配一口酒，浓浓的年味就这么来了。

{ 麻辣香锅 }

※ 主料&辅料　花椒、干灯笼椒、香料、砂仁、大料、小茴香籽、豆蔻、白芷、
陈皮、香茅草、大蒜、姜、豆豉、醪糟、泡姜、藕、海带、鲜虾、
※ 主料　　　青笋、香菇、午餐肉、培根、腐竹、食用油、糖、盐、白胡椒粉、
香菜、白芝麻、郫县豆瓣酱

1
将泡好的辣椒和香料、砂仁、大料、小茴香籽、豆蔻、白芷、陈皮、香茅草等放入碾磨机中打碎。

2
锅中放入热水烧沸，将切成小块的素菜余烫一分钟，随后捞出沥干水分。

3
锅中留底油烧热，放入姜片，将虾炒熟。

将培根、午餐肉切片，腐竹等菜改刀。

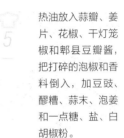

热油放入蒜瓣、姜片、花椒、干灯笼椒和郫县豆瓣酱，把打碎的泡椒和香料倒入，加豆豉、醪糟、蒜末、泡姜和一点糖、盐、白胡椒粉。

依次加入准备好的荤、素菜，大火翻炒入味，最后盛出，撒入白芝麻和香菜末即可。

成品

图书在版编目（CIP）数据

黄小厨的春夏秋冬 / 黄磊著 . -- 长沙：湖南文艺出版社，2018.8
ISBN 978-7-5404-8798-0

Ⅰ . ①黄… Ⅱ . ①黄… Ⅲ . ①饮食 – 文化 – 中国Ⅳ . ① TS971.2

中国版本图书馆 CIP 数据核字 (2018) 第 149384 号

黄小厨的春夏秋冬
HUANGXIAOCHU DE CHUNXIAQIUDONG

黄磊　著

出 版 人　曾赛丰
出 品 人　陈垦
出 品 方　中南出版传媒集团股份有限公司
　　　　　上海浦睿文化传播有限公司
　　　　　上海市巨鹿路 417 号 705 室 (200020)
责任编辑　刘诗哲
装帧设计　王媚
责任印制　王磊
出版发行　湖南文艺出版社
　　　　　长沙市雨花区东二环一段 622 号 (410016)
网　　址　www.hnwy.net
经　　销　湖南省新华书店
印　　刷　恒美印务 (广州) 有限公司

开本：787mm×1092mm 1/32　　印张：7.25　　字数：110 千字
版次：2018 年 8 月第 1 版　　印次：2018 年 8 月第 1 版第 1 次印刷
书号：ISBN 978-7-5404-8798-0　　定价：52.00 元

出 品 人：黄　磊
总 监 制：朱　虹

微信公众号：huangxiaochu921
新浪微博：@ 黄小厨 noob

出 品 人：王　娟
总 监 制：江　浩
总 制 片：韩　蓓
制 片 人：何沄汐
商务制片：陈倩如
运营统筹：何　静
运　　营：陈石萌　刘书含　张婉君　郑世栋
宣推统筹：张　颖　李旭星

PR 浦睿文化 INSIGHT MEDIA

出 品 人：陈　垦
策 划 人：刘　佳
监　　制：余　西　蔡　蕾
出版统筹：戴　涛
责任编辑：刘　佳
装帧设计：王　媚

投稿邮箱：insightbook@126.com
新浪微博：@ 浦睿文化